2000年版

アメリカ税金の基礎知識

節税対策マニュアル・最新改正税法・日本からの直接投資の税務

New Basic knowledge of U.S. Taxation

米国公認会計士

大島　襄

里文出版

はじめに

"税金に関心を持つ"ということは、アメリカ市民の伝統です。200年あまり前、税金論争が新大陸の開拓者たちを独立への闘争へかりたてた動機の一つであったからです。開拓者たちは英国の植民地税制、とくに新大陸からの議員を英国議会へ送り出すことが許されないのにもかかわらず、植民地が重い課税に苦しめられている不条理な事実に対して反旗をひるがえしたのでした。こうして蜂起した開拓者たちは、各地で大胆な抗議演説を行い、また、多くの出版物を発行してたち向かっていったのです。これがやがて、独立戦争へと発展していくのです。

　同じ税金への関心も、今日ではもはや、200年前のような実力行使とは無縁のものとなりましたが、しかし税制がアメリカの社会・経済生活に深く根をおろしていることに変わりありません。政府は課税という手段を用いて自国の経済を調整しています。所得税率の基準を上下させたり、控除項目および控除額を大幅に認めたり制限したりすることが、国家の経済政策を制御する一つの重要な安全弁として使われているのです。すなわち、減税が経済的に刺激を与えて景気後退を防ぎ、また増税が消費を抑制して景気の過熱を冷却させる働きをしているのです。1997年8月5日にクリントン大統領の署名によって「1997年納税者救済法」(Taxpayer Relief Act of 1997)が効力を発しました。これこそ経済政策の一環として法制化された97年改正税法です。

　アメリカに住んでいる日本人は実際に確定申告を行うために、また、アメリカに関心のある日本人ならアメリカ市民と同じように、現行のアメリカの税制についての基礎知識を身に付けておくことが望ましいでしょう。

　本書は、アメリカで生活をする日本人にとって重要と思われる所得税の概要を述べ、私たちに直接影響を及ぼすであろう改正税法の

減税規定の紹介をしました。1990年代後半のアメリカ経済の安定と景気の好況により、アメリカへの投資が増え、一方、日本側では為替の自由化です。日本からの投資に対するアメリカの税待遇はいたって友好的です。日本からの直接投資の好機会を逃さないための情報の解説を試みました。

ニューヨークにて　大島　襄

目　次

装幀　斉藤　綾

第1章
居住形態と課税範囲

1. 居住者・非居住者の定義

　居住者・非居住者は、ビザの種類によって判定される一部の例外を除いて、原則として「実質的滞在条件」という滞在日数の長短によって居住者あるいは非居住者と定義されます。

①ビザの種類と税金

　アメリカの税法上、外国人（日本人）は居住者または非居住者に区分されます。どちらに該当するかによって、課税対象となる所得の範囲が異なり、認められる控除の種類や適用される税率に違いがあります。このため外国人のアメリカにおける所得税に関する取り扱いを検討するにあたって、本人が居住者か非居住者かを判定することがもっとも重要なポイントであり、出発点となります。

　居住者・非居住者の判定は原則としてビザの種類によるのではなく、実際にアメリカに滞在した日数によって決まります。簡単にいえば、「実質的滞在条件」と呼ばれる183日を基準とした滞在日数より長いか短いかで居住者または非居住者となるのです。

　ただし、永住権（グリーンカード）、A（外交官）、F（学生）、J（教授・交換留学生）、M（専門学校学生）、Q（交換研究者）の各ビザ保持者の場合には、「実質的滞在条件」は適用されないことになっています。これらはビザの種類が税法上の居住者・非居住者の身分を決定する例です。

　グリーンカード保持者は、アメリカ国内での滞在日数に関係なく、誰でも居住者となります。このためグリーンカードを取得すると、たとえ一年中アメリカ国外にいたとしても、税法上の居住者として扱われます。つまり、いったん、グリーンカードを取得すると、その後はアメリカ国内、国外のどこに住んでいても、年間の全所得をアメリカにおいて申告する義務が生じるということです。

　Aビザ、Fビザ、Jビザ、Mビザ、Qビザ保持者は、滞在日数が183日を超えても、通常非居住者として扱われます。Aビザ（外交官）の場合は年数に制限なく、どんなに長い間アメリカに滞在していてもたえず非居住者となります。Fビザ、Jビザ、Mビザ、Qビザで学生としてアメリカに滞在する場合は、入国から5年間については非居住者として扱われ、5年経過後には「実質的滞在条件」が適用されて、非居住者あるいは居住者となります。

　またJビザ、Qビザによる教授または研修生は、報酬が米国外の雇用主から支払われていない限り、入国から2年間について非居住者として扱われ、それ以降は「実質的滞在条件」が適用されます。なお、Jビザ、Fビザ、Qビザの保持者は、実務研修などの目的で、米国の雇用者のもとで従業員として働くことがあります。この場合でも、非居住者の身分は変わりません。この場合の給与は、米国の所得税の課税対象となりますが、社会保障税（Social Security Tax）については免除されることになっています。

　以上のビザ保持者は、米国税法および日米租税条約により、日本の政府や雇用主から支払われる給与・手当等の一定範囲の所得について、アメリカの税金が課せられないことになっています。ただし、アルバイト収入やアメリカ源泉の投資所得がある場合は、非居住者に適用となる税率で所得税がかか

ります。

　前述以外のビザ、すなわちEビザ、Lビザ、Hビザ、Iビザ、Bビザ等の保持者は、滞在期間の長短によって、居住者あるいは非居住者となります。

②実質的滞在条件

実質的滞在条件
Substantial
Presence Test

　永住権、Aビザ、Fビザ、Jビザ、Mビザ、Qビザ以外のビザの外国人は、実際にアメリカに滞在した日数に関して、次のふたつの条件を同時に満たすと居住者として取り扱われます。

（1）当該暦年中の滞在日数が累計で31日以上であること。

（2）当該暦年中の滞在日数、前暦年中の滞在日数の3分の1、および前々暦年中の滞在日数の6分の1の合計が183日以上であること。

　従って、外国人が一年中アメリカに滞在した年は、当然、年間を通じて居住者となります。また、アメリカに赴任した年、アメリカから離任した年でも、その年の総滞在日数が183日以上であれば、いずれも年間の一部について居住者となることは明らかです。なお年の一部についてだけ居住者になること、すなわち同一年度に居住者と非居住者の両身分を有することを、二重身分（Dual Status）といいます。

二重身分
Dual Status

　年の後半に赴任して、年度内の滞在日数がたとえ183日未満であっても、前述の条件により前年および前々年に出張等のアメリカ滞在日数によって居住者となることもあります。

　また、たとえこの「実質的滞在条件」の日数計算上は居住者となる場合でも、当暦年中の滞在日数が183日未満で、アメリカよりもむしろ外国に経済上、生活上の関係が深くあり、家族も住居も外国所在という外国人は、非居住者として扱わ

10

れます。

③赴任・離任年度の選択

　駐在員がアメリカに赴任してきた年度について、入国が年の前半であれば、滞在日数が183日以上となるので、居住者として申告します。入国日が年の後半である場合は、その年度の滞在日数は183日以下であり、前年までの滞在がなければ、「実質的滞在条件」上は非居住者となります。ところが、駐在員の米国赴任年度の滞在日数の合計が183日未満であっても、赴任日以降、次の3条件を同時に満たす場合は、居住者として選択をして、申告することが認められます。

（1）当該年度中に連続で31日以上滞在した期間があること。

（2）その滞在日数が、連続31日以上滞在した期間の初日から12月31日までの合計日数の75％以上であること。

（3）赴任年度の翌年に実質的滞在条件を満たして居住者となること。

　このほか既婚者については、これまでに述べた条件を満たし、年の末日において米国居住者であるときは、年間を通じ居住者となることを選択できます。

　離任の年については原則として離任の日までが居住者、それ以降が非居住者となります。ただし、その年の滞在日数が31日に満たない場合には、年初から非居住者となります。

参考　IRC（内国歳入法）Sec. 7701(b) Definition of Resident Alien and Nonresident Alien

2. 連邦個人所得税の計算順序

アメリカの所得税の計算は、すべての所得の合計額から諸控除を差し引いて課税所得を算出し、税率を適用して税額を計算して、税額控除を差し引いて確定税額を算出するという順序で行います。

連邦個人所得税は、次の順序で計算します。

①総所得の算出

総所得
Gross Income

最初に、まずすべての所得を加えて総所得（Gross Income）を把握します。1月1日から12月31日までの間に得たすべての収入を含みます。給与、利子、配当、手数料・原稿料などの報酬、州・市所得税還付金、離婚・別居手当受取、自由業の事業所得、課税対象の恩給・年金手当、退職金、キャピタルゲイン譲渡所得、不動産賃貸所得、パートナーシップ所得、失業保険手当、課税対象の社会保障手当、宝くじ、クイズ、競馬、コンクールの賞金などの一時所得の合計額です。

②調整総所得の算出

所得調整控除
Adjustment to
Income
調整総所得
Adjusted Gross
Income

総所得から「所得調整控除」を差し引き、調整総所得（Adjusted Gross Income）を算出します。所得調整控除は所得の調整項目で、個人退職基金口座（IRA）拠出金、転勤費

用、セルフ・エンプロイメント税の50％、自由業健康保険料、自由業退職基金拠出金、定期預金早期解約金、離婚・別居手当支払、教育ローン支払利子などがあります。

③控除方式の選択

項目別控除
Itemized
Deductions
概算額控除
Standard
Deduction

「項目別控除」(Itemized Deductions)または「概算額控除」(Standard Deduction) のいずれかの控除方式の採用を決定して、調整総所得から控除します。

④課税所得の算出

人的控除・扶養控
除　Personal
Exemption
課税所得
Taxable Income

次に人的控除・扶養控除（Personal Exemption）を差し引いて課税所得（Taxable Income）を算出します。人的控除・扶養控除として、納税者自身、配偶者および扶養家族各１人について、＄2,750(1999年) (2000年は＄2,800)ずつの控除が認められます。

⑤税額の計算

申告資格
Filing Status
累進税率
Graduated Tax
Rates

税率表を使い、申告資格（Filing Status）と課税所得をもとに所得税額を計算します。連邦所得税は15％、28％、31％、36％、39.6％の５段階の累進税率です。税率表は、納税者の独身、既婚などに基づいて、独身、夫婦合算申告、夫婦個別申告、特定世帯主の４種類があります。

⑥確定税額の算定

税額控除
Tax Credit

所得税額から税額控除（Tax Credit）を差し引いて確定税

確定税額 Tax Liability	額（Tax Liability）を算定します。税額控除には、外国税額控除（Foreign Tax Credit）、扶養税額控除、子女世話費控除、役務所得税額控除、高齢者・身障者控除、養子税額控除などがあります。

⑦還付金または追加納付の決定

源泉徴収税 Withholding Tax 予定納税 Estimated Tax	給与が支給されるたびに源泉徴収の形で納付してきた金額と予定納税の形で払い込んである金額の合計額と確定税額とを比べ、確定税額の方が少なければ還付金（Refund）の請求となります。逆に納税額よりも確定税額の方が多ければ追加税金の納付をしなければなりません。 　以上の連邦個人所得税の計算順序は表1のとおりです。

参考　IRC（内国歳入法）Sec. 61 Gross Income Defined

　　　IRC Sec. 62 Adjusted Gross Income Defined

　　　IRC Sec. 63 Taxable Income Defined

　　　IRC Sec. 151 Personal Exemptions

　　　IRC Sec. 1(a)-1(d) Tax Imposed

表1　連邦個人所得税の計算順序

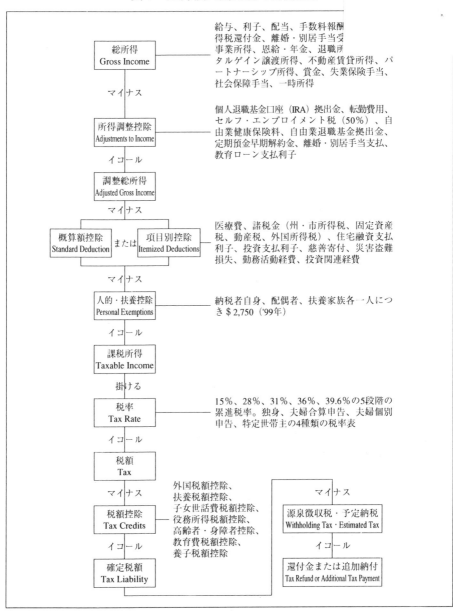

総所得 Gross Income	給与、利子、配当、手数料報酬、 得税還付金、離婚・別居手当受 事業所得、恩給・年金、退職所 タルゲイン譲渡所得、不動産賃貸所得、パ ートナーシップ所得、賞金、失業保険手当、 社会保障手当、一時所得

マイナス

所得調整控除 Adjustments to Income	個人退職基金口座（IRA）拠出金、転勤費用、 セルフ・エンプロイメント税（50%）、自 由業健康保険料、自由業退職基金拠出金、 定期預金早期解約金、離婚・別居手当支払、 教育ローン支払利子

イコール

調整総所得
Adjusted Gross Income

マイナス

概算額控除 Standard Deduction	または	項目別控除 Itemized Deductions

医療費、諸税金（州・市所得税、固定資産
税、動産税、外国所得税）、住宅融資支払
利子、投資支払利子、慈善寄付、災害盗難
損失、勤務活動経費、投資関連経費

マイナス

人的・扶養控除 Personal Exemptions	納税者自身、配偶者、扶養家族各一人につ き＄2,750（'99年）

イコール

課税所得
Taxable Income

掛ける

税率 Tax Rate	15%、28%、31%、36%、39.6%の5段階の 累進税率。独身、夫婦合算申告、夫婦個別 申告、特定世帯主の4種類の税率表

イコール

税額
Tax

マイナス

税額控除 Tax Credits	外国税額控除、 扶養税額控除、 子女世話費税額控除、 役務所得税額控除、 高齢者・身障者控除、 教育費税額控除、 養子税額控除

マイナス

源泉徴収税・予定納税
Withholding Tax・Estimated Tax

イコール

イコール

確定税額 Tax Liability	還付金または追加納付 Tax Refund or Additional Tax Payment

3. 課税対象所得

　居住外国人は、アメリカ内外源泉の年間所得を報告する義務があります。給与は、支払形態や支払場所に関わりなく、被雇用者の勤務用役に対するすべての報酬を含みます。

①総所得

総所得
Gross Income

　居住外国人は、米国市民の場合と同様に、アメリカ源泉および外国源泉の年間の全所得を報告する義務があります。一方、非居住外国人は、アメリカ源泉所得のうち役務所得など一定範囲のものだけを報告する義務があります。所得の代表例は、以下のとおりです。

- ●給与・ボーナス（フォームW-2）
- ●利子（フォーム1099-INT）（＄400超の場合、スケジュールB添付）
- ●配当（フォーム1099-DIV）（＄400超の場合、スケジュールB添付）
- ●手数料などの報酬（フォーム1099-MISC）
- ●州市所得税還付金、またはクレジット（過年度に項目別控除による恩恵を受けた場合。フォーム1099-G）
- ●離婚・別居手当受取（Alimony）（支払者側が控除可能な場合）
- ●自由業の事業所得（自由業総収入から関連するすべての必要経費を差し引いて計算した純利益または純損失。スケジ

ュールC添付）

- キャピタル・ゲイン譲渡所得（長期キャピタル・ゲインに対する18％、20％、28％の優遇税率、年間＄3,000のキャピタル・ロス相殺控除については「キャピタル・ゲイン優遇税率」の項参照。スケジュールD添付。主たる住居の売却益　＄250,000／＄500,000免税扱いについては「住宅売却益の非課税措置」の項参照。フォーム2119添付）
- 課税対象の恩給・年金・社会保障手当（ソーシャル・セキュリティ手当の全額を課税対象とならずに受け取れるのは、暫定総所得が独身者＄25,000以下、夫婦合算申告＄32,000以下の場合で、収入が多い場合は手当の50％ないし85％が課税対象所得となる。フォームSSA-1099。フォーム1099-R）
- 退職金
- 不動産賃貸所得（住宅レント収入から必要経費を差し引いたネット・レントの報告、レンタル・ロス＄25,000の相殺控除については「居住者の不動産賃貸所得」の（40頁）項参照。スケジュールE添付）
- ロイヤリティ権利使用料、パートナーシップ所得、失業保険手当、宝くじ、クイズ、競馬、コンクール賞金などの一時所得。

②手取保証方式による給与支給

　アメリカでは、給与はどのような支払形態で、どこで支払われたかということに関わりなく、従業員の勤務用役に対するすべての報酬を含みます。アメリカ駐在員の場合、アメリカ国内で支払われた給料やボーナス、日本本社で支給された日本円給料、賞与、手当、役員報酬、会社が駐在員のために

負担した所得税等の税金、家族手当、通勤手当、住宅補助手当、教育手当、医療手当、控除対象外の転勤費用手当などのすべてが給与と見なされます。

手取保証の給与
Net Guarantee
Salary

　会社によっては、駐在員に支給する手取給与の金額を保証して、所得税や社会保障税などの税金は会社負担とする、いわゆるネット・ギャランティ方式による給与支給制度を採用しています。会社は毎月、手取給与額を把握して、その金額に見合う税金額を加えてグロス給与支給額とします。「グロスアップ」給与と呼ばれることもあります。税金は源泉徴収分と通常の会社負担分の合計額を、毎月IRS（内国歳入庁）および州政府へ払い込んでいきます。四半期ごとに給与関係税の申告書をIRSおよび州政府に提出します。給与関係税として、連邦と州・市の所得税の源泉徴収、社会保障税（FICA）の源泉徴収分と会社負担分があります。さらに、失業保険税（Unemployment Insurance）、労災保険（Workers Compensation Insurance）、廃疾保険（Disability Insurance）などの雇用強制保険制度への掛け金の支払いも、法定福利費用として必要です。暦年終了後、各従業員の給与および源泉徴収税の年間合計額を、源泉徴収票フォームW-2に記載して、各従業員へ交付します。さらにすべてのフォームW-2は、フォームW-3（Transmittal of Wage and Tax Statements）と共にソーシャル・セキュリティ・アドミニストレーションへ提出します。

　ネット・ギャランティ方式を採用している会社は通常、駐在員の個人所得税申告書の作成についても、受け持ちます。従来は、確定申告額のすべてを会社が負担する方法が一般的でした。すなわち、申告書の提出時に支払う追加税金も会社が負担し、還付金は会社に帰属させるとすることです。しかし、駐在員の所得税のすべてを会社負担とすることには、問

題が生ずることがあります。例えば、資産家の駐在員に多額の預金利子などの個人的収入があるため、所得税の金額が給与所得だけの場合よりもはるかに大きな金額となることがあります。また、アメリカに住宅を購入したため、支払利子控除と固定資産税控除がとれて多額の税金の還付となることもあります。税金のすべてを会社負担とすることは、駐在員間の不公平な扱いにつながることがあるわけです。

　最近では、追加の税負担も還付の税恩典もすべて会社帰属とするのではなく、会社負担は給与支払額にかかわる税金だけとして、個人的な要素による税の増減額は駐在員個人に負担、還元させるという制度を採用する会社も増えています。このような制度では、毎年の確定申告書の内容を、会社帰属分と個人帰属分とに「分かち計算」して両者間で精算をすることになります。こうすることにより、各駐在員が節税のための知識を増やすこととなり、アメリカでの仕事と生活に活気が与えられることにつながります。

4. グリーンカード保持者の税金

永住権保持者は米国外に滞在していても米国居住者となり、アメリカでの税務申告義務があります。「海外役務所得控除」70,000ドル（1997年）と「外国税額控除」の適用によりアメリカの税金を最小限にくい止めることができます。

永住権
Permanent
Resident

アメリカの税法上、永住権保持者は居住者となります。通常、外国人は「実質的滞在条件」の判定基準により、アメリカ滞在日数が183日以上になると居住者となります。グリーンカード保持者は、この判定基準の適用外と定められていて、アメリカ滞在日数にかかわりなくたえず居住者とされます。

居住外国人
Resident Alien

居住外国人はアメリカ市民と同様、全世界の所得が課税の対象となります。非居住者であった期間にはアメリカで課税の対象とならなかった所得、たとえばアメリカおよび日本の銀行利子、キャピタル・ゲイン、日本にある不動産からのレンタル収入なども含めて報告しなければならなくなります。

グリーンカード保持者の税金で最も問題になることことは、納税者がアメリカを離れた場合に生じます。永住権以外のビザ、たとえばEビザ、Lビザ、Hビザなどでアメリカの居住者であった日本人が日本へ帰国すると、アメリカの税法上は、居住者から非居住者へ変わります。したがって帰国後はアメリカ源泉所得がない限り、アメリカでの課税が生じないことになっています。

一方、グリーンカード保持者は、たとえアメリカを離れて

アメリカ以外の国に住んでも、税法上はアメリカの居住者であり続けます。すなわち、全世界所得が課税対象となるため、アメリカでの所得がまったく無くても、日本での収入があれば、その金額をアメリカのIRS（内国歳入庁）へ報告しなければなりません。

　日本で既に課税された所得を、再びアメリカでも申告するわけですから、同一の所得に日本とアメリカの両国で税金を払うという二重課税が発生する可能性があります。ただし、アメリカ市民で海外在住者に適用される「海外役務所得控除」の規定が、グリーンカード保持者にも認められるため、また さらに二重課税防止措置である「外国税額控除」の規定の適用も認められるため、アメリカ側での税金を最小限に食い止めることが可能です。

「海外役務所得控除」の金額は、1997年まで＄70,000でしたが、97年改正税法により1998年以降毎年＄2,000ずつ増額され、2002年に＄80,000となります。2008年以降、毎年インフレ調整が施され、やはり増額されることになっています。役務所得とは、給与、報酬、事業所得などを指します。

　この特別控除は、フォーム2555、外国税額控除はフォーム1116に必要事項を記入して、申告書フォーム1040に添付して、これらの規定の適用を受けます。

　グリーンカード保持者がアメリカ国外にいる期間、たとえ移民法上の再入国許可証を取得したとしても、連邦税の申告書を提出しない場合は、永住者としての権利を自ら放棄したことと見なされて、移民局から永住権を剥奪される要因を作ることとなるため、この点も十分気を付けるべきでしょう。

参考　IRC(内国歳入法)Sec. 7701(b) Definition of Resident Alien and
　　　Nonresident Alien

海外役務所得控除　Foreign Earned Income Exclusion
外国税務控除 Foreign Tax Credit

IRC Sec. 911 Citizens or Residents of United States Abroad

IRC Sec. 901 (a),904 (j) Foreign Tax Credit

第 2 章
諸活動の課税上の取扱い

1. 住宅売却益の非課税措置

　97年改正税法は、主たる住居の売却益について、独身
＄250,000、夫婦合算申告＄500,000を非課税（免税）扱い
とする規定を新設しました。非課税扱いは2年ごとに、一生
に何度でも利用できます。

主たる住居の売却
益　Gain on Sale
of Principal
Residence

$500,000／
$250,000非課税
Exclusion

　97年改正税法は、住居を売却して得たキャピタル・ゲイ
ンについて、夫婦合算申告は＄500,000、独身は＄250,000
を非課税（免税）扱いとする規定を新設しました。当規定は
1997年5月7日以降の住居の売却から適用されました。売
却前の5年間のうち2年間、主たる住居として、納税者が実
際にその家に住んでいたことを条件とします。当非課税措置
は、2年経過後、再び、そして一生に何度でも適用すること
ができます。

　旧法では、①住居売却前後2年以内の新住居の買い換えに
よる旧住居売却益の課税繰り延べ、②55歳以上の住居売却
益＄125,000の非課税扱いの二種類の優遇措置がありました。
これら旧規定は原則として1997年5月6日の売却まで施行さ
れ、改正税法の発効により、その後は廃止となりました。た
だし、1997年5月7日から8月4日までの間に売却、または8
月4日以前に締結された成分契約に基づく後日の売却の場合
は、納税者の選択により、新旧規定のどちらか有利な規定を
適用できます。

　新規定は多くの納税者にとって朗報となりますが、一部の

納税者には不利となります。過去に住居買い換えによる売却
益の課税繰り延べ規定を利用してきたために、多額の繰延益
を有する納税者は、現在住んでいる住宅を売却した際に、過
去の繰延益も含めてキャピタル・ゲイン所得として認識しな
ければなりません。その金額が非課税枠の＄500,000（夫婦
合算申告）、＄250,000（独身）以上であれば、超過額は20％
の長期キャピタル・ゲイン税率を適用して課税されます。

　例（1）20年前に＄50,000で購入した家を、1995年に
＄600,000で売却。同年に＄650,000の新住居を購入。売却益
＄550,000（60万－5万＝55万）は、主たる住居買い換えに
よる課税繰り延べの恩典の適用により新住居の購入価格から
削減し、税務簿価は＄100,000（65万－55万＝10万）となる。
1999年にその住居を＄750,000で売却。売却益＄650,000（75
万－10万＝65万）のうち＄150,000だけが課税対象となり、
20％の長期キャピタル・ゲイン税率が適用されて、税金
＄30,000を納付する。たとえ＄750,000以上の家を次に購入
しても、以前のような売却益の繰り延べはできない。

　転勤、病気、その他予期不能の事情のため、2年間の居住
条件または売却間隔条件を満たさずに住居を売却した場合は、
売却益の按分比例額だけが免税扱いとなります。
　例（2）1998年、A氏はロサンゼルスに主たる住居を購入
し、住み始める。一年後、ニューヨークへ転勤となり、家族
とともに引っ越す。その後ロサンゼルスの家を売り、
＄200,000の売却益を得る。2年間の居住条件のうち、2分
の1の1年間を満たしたため、＄200,000の売却益のうち2
分の1の＄100,000だけが免税となり、残りの＄100,000は課
税対象となる。

日本へ帰国後、非居住者となってからのアメリカの持ち家の売却、日本からアメリカへ転勤後の日本の住居の売却、グリーンカード保持者が海外在住中に行なう住居の売却にも、2年間の居住条件さえ満たしていれば、当免税規定が適用できます。

参考　IRC（内国歳入法）Sec. 121 Exclusion of Gain from Sale of Principal Residence

2. 新貯蓄奨励制度―ロスIRA（ROTH IRA）

　97年改正税法は、従来よりも多くの納税者がIRAに参加できるように適用範囲を拡げ、新たにロスIRA（Roth IRA）と呼ばれる貯蓄奨励制度を設けました。IRA口座に加算される利子、適格分配とも非課税です。

個人退職基金口座
IRA（Individual
Retirement
Account）

　IRA（Individual Retirement Account）個人退職基金口座は、97年改正税法によって、従来よりも多くの納税者が参加できるように、適用範囲が拡大されました。従来型の控除可能なIRAの利用範囲が拡げられ、新たにロスIRA（Roth IRA）、および**教育IRA**と呼ばれる2種類の**貯蓄奨励制度**が設けられました。

　IRAは、個人が金融機関に、退職後の資金形成の目的で口座を開いて、毎年一定額の掛金を積み立て、毎年の利息や配当などの収益は非課税とし、拠出金は条件を満たせば、税金の計算上、所得調整控除できるという優遇措置です。通常、定期預金やミューチュアル・ファンドなどの普通預金よりも収益率の高い投資勘定を利用し、元金、収益とも引き出しを行わない限り課税されません。IRA口座への一人当たりの年間最高拠出限度額は＄2,000（夫婦二人で＄4,000）です。

　97年改正税法は、雇用者提供などの適格退職金制度に加入している納税者が、従来型の控除可能なIRAに参加できるための調整総所得額を、夫婦合算申告＄40,000（独身＄25,000）から1998年以降漸次引き上げ、夫婦合算申告2007

年以降＄80,000、独身は2005年以降＄50,000へ増額しました。

　また、従来の規定では、一方の配偶者が適格退職金制度に加入していると、他方の配偶者も加入者として扱われて、IRAへの参加が制限されていました。改正税法は、一方の配偶者の適格退職金制度の加入が他方の配偶者のIRAへの参加資格を左右するのは、夫婦合算の調整総所得が＄150,000を超える高額所得者の場合のみと変更しました。

　このようにIRAへの参加条件の緩和により、従来よりも多くの納税者が控除可能なIRAに参加できるようになりました。

ロスIRA
Roth IRA

　97年改正税法は、ロスIRAと呼ばれる貯蓄手段を新設しました。一人当たりの年間拠出限度額は、従来型のIRAとの合計で一人あたり＄2,000、夫婦二人で＄4,000です。拠出金の所得調整控除はできませんが、毎年の当口座からの利息や配当などの収益は非課税です。

適格分配
Qualified
Distribution

　従来型の控除可能なIRAは、引き出しを行った時点で元金と収益分のすべてが課税対象となりますが、ロスIRAの適格引き出しは、一切税金が課されません。この場合の適格分配とは、口座開設後5年間以上が経過しており、さらに次の条件を満たす分配です。

- 59.5歳を過ぎた後の分配。
- 死亡または障害による分配。または、
- 主たる住居の初回購入のための＄10,000までの分配。

　住居を初回購入する者とは、過去2年間主たる住居を所有していなかった納税者のことであり、分配は納税者、配偶者、子、孫などの主たる住居の取得に使用されなければなりません。適格分配でない引き出しに対しては、従来型の控除可能なIRAの場合と同様に、10％の早期分配税が課されます。

　金融機関でロスIRAと指定してこの新しい口座を開設できるのは1998年以降です。＄2,000または＄4,000満額の拠出が

認められるのは、調整総所得が夫婦合算申告は＄150,000以下、独身は＄95,000以下の場合です。

　また、控除可能なIRAを1998年中にロスIRAへ転換すると、10％の早期分配税が課されず、転換以降は適格ロスIRA口座となり、後に引き出しを行う際の課税は免除されます。ただし、転換時点まで繰り延べられてきた旧口座に課されるべき所得税が発生し、4年間にわたる分割納付の対象となります。

参考　IRC（国内歳入法）Sec. 408A Roth IRAs

3. キャピタル・ゲイン優遇税率

　株式、債券、不動産などの売却によって生じる長期キャピ
タル・ゲインに対して20％の優遇税率が適用されます。さ
らに、2001年以降は、18％の優遇税率も導入されます。

長期キャピタル
・ゲイン
Long-term Capital
Gain
20％優遇税率
20% Preferential
Rate

　97年改正税法は、株式、債券、投資不動産などの売却に
よって生じる長期キャピタル・ゲインに対する優遇税率を、
従来の最高28％から20％へ引き下げました。20％の新低減
税率の適用を受けるためには、投資資産を購入してから売却
するまでの保有期間は、従来どおり1年超です。

　1997年は年度の途中で改正税法が発効となるため、投資
資産の売却日および保有期間によって異なる税率が適用され
ます。

　1997年1月1日から7月28日までの間の売却は、保有期
間が1年超であれば従来どおり28％の最高税率が適用され
ます。これは他の所得を加えた際の税率ブラケット（階梯額）
が31％以上となっても、長期キャピタル・ゲインについて
は28％の優遇税率が適用できるという意味です。

　7月29日以降の売却は、保有期間が1年を超えるのであ
れば20％の優遇税率が適用されます。

　所得レベルが高くなく、15％の低税率ブラケット（階梯
額）の納税者の長期キャピタル・ゲインについては、新たに
10％の税率が適用となります。

　投資資産を購入してから売却するまでの保有期間が1年以

下の場合に生じる売却益は、短期キャピタル・ゲインとなります。短期キャピタル・ゲインに対しては通常の15％から39.6％までの5段階の税率が適用されます。

2001年以降に取得し、5年超保有した投資資産の売却益には、さらに低い**優遇税率**である18％および低税率ブラケット（階梯額）のための8％が適用できます。

1年超の保有期間を満たしていても、20％の優遇税率の適用が認められない場合があります。

減価償却の控除をとってきた不動産の売却によって生ずるキャピタル・ゲインは、同控除の起因による売却益については25％の税率が適用され、それ以外の売却益についてのみ20％の税率が適用できます。

（例）購入価格＄500,000の不動産。建物部分の減価償却として＄400,000控除してきた。従って償却後の不動産の税務上の簿価は＄100,000（50万－40万＝10万）。この不動産を＄1,000,000で売却したため、長期キャピタル・ゲインが＄900,000発生。適用税率は＄500,000分に対して20％、＄400,000（減価償却対応）分に対して25％となる。

絵画、彫刻などの美術品、武具、古楽器、古銭、切手などの骨董品、宝石、貴金属を含む収集品の売却益については20％ではなく、28％の税率が適用となります。同様に、5年超保有の中小企業株式の売却益の半額が従来どおり課税対象となりますが、適用税率は20％ではなく28％となります。

投資資産の購入価格よりも高い値段で売却した時にキャピタル・ゲインとなりますが、逆に購入価格よりも低い値段で売却した場合は、キャピタル・ロスが発生します。

キャピタル・ロスは、キャピタル・ゲインと相殺します。相殺後に長期キャピタル・ゲインが残れば、前述の優遇税率を適用して税金を計算することになるわけです。相殺後に短

期キャピタル・ゲインが残っていれば、その金額は他の通常の所得に合算して通常の税率で税金を計算します。

　キャピタル・ゲインよりもキャピタル・ロスの方が多い場合には、相殺後はロスが残ります。その場合は、給与、利子、配当、事業所得などの通常の所得との相殺ができます。ただし、1年間に最高＄3,000（夫婦個別申告は＄1,500）が相殺控除の限度額となっています。その後まだキャピタル・ロスが残った場合は、今度は繰り延べられて翌年にまた、ゲインや通常所得との相殺控除ができます。繰り延べ年数は無期限です。

繰り延べ
Carryover

参考　IRC（内国歳入法）Sec. 1(h)Maximum Capital Gains Rates
　　　IRC Sec. 1223 Holding Period of Property

4. 自由業の事業所得

　自由業収入から関連するすべての必要経費を差し引いて計算した純利益また純損失（事業所得）にすべての他の所得を加えて総所得とします。その後の計算過程は給与所得者と同じです。自由業は、通常の所得税の他にセルフ・エンプロイメント税の納付も必要とします。

自由業事業所得
Self-Employed
Business Income

　会社の従業員としてではなく、自由業の形で生計を立てている場合は、自由業収入から関連するすべての必要経費を差し引いて純利益または純損失（これを事業所得と呼びます）を計算して、様式スケジュールCに記入して、申告書様式フォーム1040に添付提出します。会社勤めをしながら副業として自由業収入がある場合も、同様に様式スケジュールCを必要とします。

　給与所得だけの場合と比べて、収入の申告漏れと経費の証拠不備の疑いのため、税務調査の対象となる頻度がはるかに高く、普段から詳細な収入と支出の帳簿を維持しておく必要があります。

　自由業の事業所得が給与所得者の給与所得に相当します。事業所得に利子、配当、給与、キャピタル・ゲインなどの他のすべての所得を加えて総所得を算出し、その金額から自由業だけに認められている次の3種類の所得調整控除を差し引いて、調整総所得を計算します。

● 健康保険料（所得調整控除）

　健康保険料は年度によって控除率が、以下のとおり異なります。

控除率		
	1997年	40％
	1998年、1999年	45％
	2000年、2001年	50％
	2002年	60％
	2003年、2004年、2005年	80％
	2006年	90％
	2007年以降	100％

　医療貯蓄口座への積立金の控除も認められます。

● セルフ・エンプロイメント税の50％（所得調整控除）

　セルフ・エンプロイメント税とは自由業のソーシャル・セキュリティ・タックスおよびメディケア・タックスのことです。

● 自由業の適格退職基金拠出金（所得調整控除）

　以上の他、自由業以外の納税者にも認められる所得調整控除、たとえば、個人退職基金口座（IRA）拠出金、転勤費用、定期預金早期解約金、離婚・別居手当（Alimony）支払、教育ローン支払利子なども控除できます。所得調整控除の特徴は、控除方式を項目別控除または概算額控除のどちらを選択しても、それらが調整総所得の前の控除として認められることです。

　調整総所得から、給与所得者の場合と同じ諸控除を差し引くことが認められて、課税所得を算出します。すなわち、項目別控除、または概算額控除のいずれかの控除、そして人的控除・扶養控除を差し引きます。課税所得に15％から39.6％までの5段階の累進税率を適用して所得税を計算します。

<table>
<tr><td>

セルフ・エンプロ
イメント税
Self-Employment
Tax
</td></tr>
</table>

　自由業者は、所得税だけでなく、セルフ・エンプロイメン
ト税（Self-employment Tax）と呼ばれるソーシャル・セキ
ュリティ（12.4％）とメディケア（2.9％）の税金を計算し
て、その税金と所得税とを加えて、IRSへ払い込む義務があ
ります。給与所得者は、給与からこれらの税金について
FICAという名目で自動的に源泉徴収による納付がなされて
いますが、自由業者の場合は、セルフ・エンプロイメント税
として自分で計算して払い込みをしなければなりません。自
由業者は、所得税とセルフ・エンプロイメント税の合計を予

予定納税
Estimated Tax

定納税として、年4回に分けて納付していく義務があります。

　自由業の総収入から、関連するすべての必要経費を差し引
いた結果、必要経費の方が多額であったために、純損失（赤
字）が発生した場合、他の所得、たとえば利子、配当、給与、
キャピタル・ゲイン、レント収入などとの損失通算が認めら
れます。損金と他の所得との相殺控除により節税が達成でき
るわけです。損益通算後もまだ純損失が残った場合は、過去

繰り戻し
Carryback
繰り延べ
Carryover

2年間に繰り戻し、さらに将来20年にわたって繰り延べる
ことが認められます。この過去2年、将来20年の純損失の
繰延年数は、97年改正税法による新規定です。繰越年度に
純損失と純利益や他の所得との相殺控除により、また節税で
きることになります。

　自由業者に対して役務の提供先から年明けになると、報酬
の年間総額を記載した雑所得支払調票フォーム1099が送ら
れてきます。関与先が複数であれば、送られてくる調票も複
数になる筈です。その場合は、当然それらの金額を合計して
申告様式スケジュールCの総所得の欄に記入する必要があり
ます。

　それは、アメリカではソーシャル・セキュリティ番号が納
税者番号として効果的に機能していて、IRSへ報告された支

払調票（この場合はフォーム1099）の情報と、納税者が提出した申告書の内容をコンピューターにより照合して、申告漏れの摘発を行っているためです。申告漏れがあると、後日IRSから追徴通知が送られてくるので、この点十分気を付ける必要があります。なお、必要経費の領収書などの証拠書類は提出せず、IRSからの質問に備えて、保管しておきます。

参考　IRC（内国歳入法）Sec. 1402 Definitions (Self-Employment Income)

IRC Sec. 162 (l)(1)(B) Increase in Deduction for Health Insurance

5. 住宅所有者の税務

　住宅所有者は、固定資産税と住宅融資支払利子について、所得税の計算上控除が認められるため、アパート・貸家住まいと比べて節税分だけ有利となります。

　自分の住宅を購入した場合の税務上の恩典、申告上の注意点を検討します。

固定資産税
Real Property Tax
住宅融資支払利子
Mortgage Interest
Expense

　住宅所有者が支払う固定資産税と住宅融資支払利子は、個人所得税の計算上控除が認められます。住宅に関連した控除が全く認められないアパート・貸家住まいと比べると、持ち家があれば控除による節税分だけ有利となるわけです。住宅には一戸建てばかりではなく、コンドミニアム、コープなども含まれます。

　住宅融資支払利子は、連邦個人所得税の計算過程において項目別控除の一つとして控除が認められます。控除対象の住宅融資ローンとして認められるためには、次の条件のすべてを満たさなければなりません。

①住宅2軒分までとする。
②上限借入額を＄1,000,000とする。
③住宅を担保にしていること。

　納税者が主たる住居として実際に住んでいる住宅（Principal Residence）および他の一軒（Second Residence）のための借り入れであること。既存の住宅ローンよりも条件の良い利率のローンに切り替えたリファイナンス・ロー

支払利子も控除が認められます。

　また、住宅の値上がり含み益を担保に供した借り入れであるホーム・エクイティ・ローンの上限借り入れ＄100,000に対応する支払利子も、控除の対象となります。住宅ローン取得の際に銀行などの金融機関に支払う割増利子であるポイントも、住宅購入年度に全額控除が認められます。ただし、ホーム・エクイティ・ローンおよびリファイナンス・ローンのポイントは、借入年度の一括控除が認められず、ローンの返済年数にわたって毎年、少額ずつの控除となります。

　住宅を購入した年度は、住宅売買契約のクロージング・ステートメントの中に記載された項目に、控除可能なものが含まれているため注意を要します。すなわち、売り手がすでに納付した固定資産税の、買い手に帰属すべき部分の按分調整額、そして銀行などの金融機関に対して支払った住宅融資ローンの初回返済期限とクロージング日の間の利子についての期間按分調整額が控除できる項目です。

　住宅融資ローンがある場合は、銀行などの金融機関から、年明けに過去1年間の支払利子の合計額を記載した調票フォーム1098が送られてきます。この金額が控除できる額です。住宅所有者は、住宅の固定資産税も控除が認められますが、直接カウンティ（郡）などの当局に支払っている場合と、銀行などの金融機関の預託管理（エスクロー）勘定を通じて預託代行納付している場合とがあります。後者の場合は、銀行などの金融機関から送られてくる通知書に記載された、1年間の固定資産税の合計額を控除します。

　コープ（株式共同住宅）に住んでいる場合は、毎月支払う〔マネ〕ジメント管理費の中に、控除可能なコープ・ビルの共益〔費〕〔や〕の融資ローンの支払利子、および固定資産税が含まれて〔いま〕す。年明けにコープ管理会社から送られてくる通知書に、

　1株当たりの支払利子と固定資産税の金額が記載されており、テナント株主は持株数を掛け合わせて各自の控除額を算出します。

　コンドミニアム（買い取りマンション）住まいの場合は、コープの場合と異なり、通常、マネジメント管理費の中には、控除可能な支払利子、および固定資産税は含まれていません。一戸建ての住宅の場合と同様、銀行などの金融機関から送られてくる調票フォーム1098に記載された分だけが、控除可能な支払利子の金額であり、預託管理（エスクロー）勘定を介して固定資産税の納付を行っている場合は、金融機関からの通知書に記載された分が控除可能な固定資産税の金額です。

参考　IRC（内国歳入法）Sec. 163(h)(3) Qualified Residence Interest
　　　IRC Sec. 164 Taxes

6. 居住者の不動産賃貸所得

　不動産賃貸所得がある場合、必要経費を差し引いたネット・レントを報告し、他の所得と合算して税金を計算します。レンタル・ロスは最高＄25,000の限度額まで、条件を満たせば他の所得との損益通算ができます。

ネット・レント純利益
Net Rental Income

　住宅を人に貸してレント収入を受け取っている場合、レント収入がそのまま課税対象となるのではなく、レント収入から固定資産税、支払利子、修繕費、管理費、維持費、保険料、減価償却費などの必要経費を差し引いて算出したネット・レント純利益を課税対象とします。居住者は、アメリカにある住宅からのレント収入も、アメリカ国外にある住宅からのレント収入も同様な方法でネット・レント純利益を算出し、その金額を給与、利子・配当所得などの他のすべての所得と合算した合計額が通常の個人所得税の対象となります。

減価償却
Depreciation

加速度原価回収制度
ACRS/MACRS

　減価償却の計算は、まず住宅の取得価格のうち土地該当部分を除いて建物部分のコストを把握し、耐用年数を27.5年として定額法を適用して行います。すなわち毎年27.5分の1ずつ減価償却費（MACRS制度）として控除します。この計算は鉄筋、木造、新築、中古の区別なく、一様に適用されます。日本にある住宅のレント収入を、アメリカの税務申告書上報告する場合の建物部分の減価償却は、耐用年数を40年として、定額法で計算します。

　ネット・レントが純利益でなく、純損失（レンタル・ロス）

40

となる場合は、給与、利子、配当などの他の所得との損益通算による相殺控除には制限が設けられており、高額所得者がその恩恵を享受することはできません。レンタル・ロスの相殺控除が認められるためには、まず納税者が積極的に賃貸活動に関与している必要があります。管理会社が間に入っている場合でも、テナントの募集、テナントとの交渉、修理の手配などに関して常に決定権を行使していれば賃貸活動に関与していることとなります。

受動的損失
Passive Loss

レンタル・ロスの相殺控除は、受動的損失の規定の適用により1年に$25,000までという限度額が設けられています。ただし調整総所得が$100,000以下の納税者は$25,000全額の相殺控除が認められます。調整総所得が$100,000を超えると相殺控除額は段階的に減額し、調整総所得が$150,000に達すると、相殺控除額はゼロとなります。すなわち年収$150,000超の高額所得者は、レンタル・ロスがあっても、他の所得との相殺控除は認められないわけです。

相殺控除が認められなかったレンタル・ロスは、他の年度へ繰り延べることが認められます。家賃の値上げや必要経費の減少などにより、ネット・レントが純利益に転じた年度の相殺控除に充てること、また住宅を売却した際の売却益計算上で、控除することができます。

参考　IRC (内国歳入法) Sec. 61 Gross Income Defined
　　　IRC Sec. 469 (i) $25,000 Offset for Rental Real Estate Activities

第 3 章
所得調整控除

1. IRA拠出金控除

　条件を満たしたIRA個人退職基金口座への拠出金は、納税者分として＄2,000、配偶者分として＄2,000、合計＄4,000の所得調整控除が認められます。

　IRA拠出金は調整総所得前の控除（所得調整控除）の一つです。

IRA拠出金
IRA Contribution
個人退職基金口座
Individual
Retirement
Account(IRA)

　IRA（Individual Retirement Account）個人退職基金口座は、納税者が銀行などの金融機関で開設できます。毎年一定額を退職後の資金形成目的で積み立てていって、毎年の利息や配当などの収益は非課税、拠出金は条件を満たせば所得控除できるという優遇措置です。元金、利息ともIRA口座から分配を受けた時点で課税対象の所得となります。納税者が満59.5歳になる前に分配を受けた場合には、特定の例外を除いて、所得税の他に10％の早期分配税が課されます。年間拠出限度額は、一人当たり＄2,000、夫婦二人で＄4,000です。納税者が適格年金制度、たとえば会社のペンション・プランなどに加入している場合、調整総所得が、夫婦合算申告＄40,000から＄50,000の間（独身＄25,000から＄35,000の間）で、控除限度額の＄4,000（＄2,000）は段階的に消滅します。すなわち、夫婦合算の所得レベルが＄50,000（独身＄35,000）以上になると、IRA口座への拠出をしても、税金計算上、所得調整控除は認められません。この場合、将来IRA口座から引き出した時点で、分配金のうち元金分については非課税、利

10％早期分配税
10% Early
Distribution
Penalty

息などの収益分については課税対象となります。控除が認められなかったIRA口座がある場合は、拠出年度と分配年度にフォーム8606を記入提出して、拠出、分配の内容を明らかにすることができます。納税者が満59.5歳に達する以前のIRA口座からの分配は、引き出し後60日に再び他のIRA口座に入金した場合、ロールオーバー（口座移し替え）と見なされて課税を免れることができます。

**口座移し替え
Rollover**

　満59.5歳に達する以前にIRA口座から分配を受けると、通常の所得税に加えて、10%の早期分配税の対象となります。ただし次の場合は、満59.5歳以前の分配であっても、10%の早期分配税は課されません。

・60日以内に再び他のIRA口座に入金し、ロールオーバー（口座移し変え）した場合。
・納税者が身障者になった場合。
・調整総所得の7.5%以上の医療費の支払があった場合。
・12週間以上継続して失業保険手当を受け、健康保険料の支払いをした場合。
・年金係数計算法に基づき、分括分配を受ける場合。
・IRA口座名義人の死亡により受益者分配を受けた場合。

　97年改正税法は、従来よりも多くの納税者がIRAに参加できるように、控除可能なIRAの利用範囲を拡げ、新たにロスIRA、および教育IRAと呼ばれる2種類の貯蓄奨励制度を設けました。これらについては「新貯蓄奨励制度 ─ ロスIRA」（27頁）および「教育関連の優遇税制」（112頁）の項を参照ください。

　雇用者提供などの適格退職金制度に加入している納税者が、控除可能なIRAに参加できるための所得レベルを、97年改正税法は次のとおり引き上げます。

	独　身	夫婦合算申告
1997年	$25,000 − $35,000	$40,000 − $50,000
1998年	$30,000 − $40,000	$50,000 − $60,000
1999年	$31,000 − $41,000	$51,000 − $61,000
2000年	$32,000 − $42,000	$52,000 − $62,000
2001年	$33,000 − $43,000	$53,000 − $63,000
2002年	$34,000 − $44,000	$54,000 − $64,000
2003年	$40,000 − $50,000	$60,000 − $70,000
2004年	$45,000 − $55,000	$65,000 − $75,000
2005年	$50,000 − $60,000	$70,000 − $80,000
2006年	$50,000 − $60,000	$75,000 − $85,000
2007年以降	$50,000 − $60,000	$80,000 − $90,000

（例）2007年以降、会社のペンション・プランに加入してい
　　　ても、夫婦の所得レベルが $80,000 未満であれば
　　　$4,000満額のIRA拠出金控除が認められます。所得レ
　　　ベルが $80,000 を超えると控除額は段階的に減額し、
　　　$90,000に達すると控除額はゼロとなります。

参考　IRC（内国歳入法）Sec. 219 Retirement Savings

2. 転勤費用控除

　転勤費用は、一定条件を満たすと所得調整控除のひとつとして控除が認められます。

転勤費用
Moving Expenses
　転勤費用は、所得調整控除のひとつとして認められます。転勤費用とは、新しい勤務地への引越費用、納税者本人と家族の旅費、宿泊費、家財道具運送料の合計額です。転勤費用の控除が認められるためには、次の二つの条件を満たさなければなりません。

①転勤距離条件

転勤距離条件
Distance Test for
Moving
　旧住居と新勤務地の間の距離が、旧住居と旧勤務地の間の距離よりも50マイル以上長くなければなりません。控除が認められるためには、勤務先が変わる必要があります。勤務先は同じまま、単に50マイル以上離れた新住居へ引越した場合の費用は控除できません。自由業も被雇用者の場合と同様、新居へ移り住んだ場合に、条件さえ満たせば控除が認められます。

②勤務期間条件

勤務期間条件
Time Test for
Remaining in the
New Location
　新しい勤務地に到着後の12カ月のうち、少なくとも39週間フルタイムの従業員として働いていることを必要とします。

47

39週間の勤続の必要はなく、12カ月のうち合計勤務日数が39週間分あればよいことになっています。また、39週間同一の勤務先である必要はなく、異なる雇用者であってもかまいません。申告書を提出する時点で、この39週間の勤務条件を満たしていなくても、いずれはその条件を満たす確信が持てる場合は、転勤費用を控除できます。

米国国内での転勤費用、外国から米国への転勤費用が控除の対象となります。帰国により米国の居住者が非居住者になる時の転勤費用は、控除が認められません。

転勤費用控除は、フォーム3903に記入し、申告書フォーム1040に添付して提出します。

参考　IRC(内国歳入法) Sec. 217 Moving Expenses

3. 自由業の所得調整控除

　セルフ・エンプロイメント税の50％、健康保険料、自由業適格退職基金拠出金は、自由業だけに認められる所得調整控除です。

①セルフ・エンプロイメント税（Self-employment Tax）の50％

セルフ・エンプロイ
メント税の50％
50% of
Self-Employment
Tax

　セルフ・エンプロイメント税とは、自由業者が支払うソーシャル・セキュリティ(Social Security12.4％)、メディケア(Medicare 2.9％)の税金のことです。事業所得に税率を掛けて計算します。給与所得者の場合は、給与からこれらの税金(FICA)が源泉徴収されており、会社が同額を負担して、政府に納付しています。自由業者は、自分で全額負担して納付します。自由業者は、この税金の50％分について、所得調整控除が認められます。給与所得者と比べて税負担増となった分を是正する効果があります。セルフ・エンプロイメント税の計算は、スケジュールSEで行い、申告書フォーム1040に添付提出します。

自由業健康保険料
Self-Employed
Health Insurance
Premium

②自由業健康保険料

　健康保険に加入している自由業の100%の保険料負担率は、従業員と比較すると極めて高くなります。この不公平感を是

正する意味で、自由業の健康保険料が所得調整控除として認められます。97年改正税法により、次の控除率が定められました。

自由業の健康保険料の控除率

1997年	40％
1998年、1999年	45％
2000年、2001年	50％
2002年	60％
2003年、2004年、2005年	80％
2006年	90％
2007年以降	100％

さらに、一定条件を満たす医療貯蓄口座(Medical Savings Account)への積立金も所得調整控除が認められます。

③自由業の適格退職基金拠出金

適格退職基金拠出金
Qualified
Retirement Fund
Contribution

自由業の適格退職基金への拠出金は所得調整控除となります。Keogh, Simplified Employee Pension Plan (SEP) と呼ばれる基金があります。

参考　IRC（内国歳入法）Sec. 164(f) Deduction One-Half of Self-Employment Tax

IRC Sec. 162(l) Special Rules for Health Insurance Costs of Self-Employed Individuals

IRC Sec. 62(a)(6), Sec. 404 Pension, Profit-sharing and Annuity Plans

第4章
諸　控　除

1. 控除方式の選択─概算額控除／項目別控除

　控除方式には、概算額控除と項目別控除の2種類があり、そのうちの有利な方を選択して控除できます。概算額控除は、簡便方式です。項目別控除は、種々の経費の控除が認められるため、通常、節税につながります。

①概算額控除

　連邦所得税の計算過程で、納税者は2種類の控除方式（概算額控除と項目別控除）のうちの一方式を選択しなければなりません。概算額控除は、Standard Deductionの訳語で、標準控除と呼ばれることもあります。概算額控除は、具体的な経費項目を挙げずに、一定概算額による控除が認められるという簡便方式です。その金額は、独身、夫婦合算申告、夫婦個別申告、特定世帯主のうち、どの申告資格を適用するかによって異なります。そして、毎年、消費者物価指数に基づいてインフレ調整が施されます。1999年と2000年の概算額控除は表2のとおりです。

概算額控除
Standard
Deduction

表2　概算額控除（Standard Deduction）

	1999	2000
独　　　　身	$ 4,300	$ 4,350
夫 婦 合 算 申 告	$ 7,200	$ 7,300
夫 婦 個 別 申 告	$ 3,600	$ 3,650
特 定 世 帯 主	$ 6,350	$ 6,450

　なお、65歳以上の高齢者の場合、または、年令に関係なく盲目の場合は、それぞれ追加控除が規定されています。追加控除の金額は、独身＄1,000、既婚者＄800であり、独身で盲目だと＄2,000、夫婦共に65歳以上は＄1,600という具合に、追加ファクターの倍数の金額となります。

　概算額控除は、経費の証拠書類がなくても一定額の控除がとれるので、いたって便利です。しかし、この控除方式を選択できるのは、アメリカ市民または一年中アメリカに滞在している居住外国人に限ります。非居住外国人や二重身分の外国人の場合は、概算額控除の採用は認められず、必ず項目別控除を適用しなければなりません。二重身分とは、同一年度に居住者と非居住者の両方の身分を有する外国人のことです。最初にアメリカに入国した年度、または、最終的に出国した年度に外国人の税法上の身分は二重身分となります。

②項目別控除

項目別控除
Itemized
Deductions

　項目別控除は、Itemized Deductionsの訳語で、個別控除と呼ばれることもあります。個人消費生活に関る経費のうち、税法上認められているものを項目別に並べて、その合計額を控除する方式です。もう一つの控除方式である概算額控除、

または、この項目別控除のうちいずれか有利な方式を毎年選択して申告します。たとえば、持家がある納税者は、固定資産税と住宅ローン支払利子の金額だけで、概算額控除の金額を超えるため、項目別控除方式を選択することによって税金を少なく計算できます。控除を多くとることが節税の一方法であることから、項目別控除は節税と直接つながり、いたって重要であるといえます。項目別控除は、スケジュールAに各金額を記入し、申告書フォーム1040に添付提出します。

　項目別控除として次の経費があります。

○医療費

○諸税金

○支払利子

○慈善寄付

○災害盗難損失

○勤務活動経費

○投資関連経費、その他の経費

高額所得者に対する控除制限

高額所得者に対する控除制限
Reduction of
Itemized
Deductions for
Higher Income
Taxpayers

　高額所得者は、項目別控除について全額認められず、調整総所得が次の金額を超えると、超過額の3％相当額が項目別控除の合計額から減額されます。

| 独身、夫婦合算申告、特定世帯主 | $ 126,600 * |
| 夫婦個別申告 | $　63,300 * |

　　＊1999年の金額。2000年以降増額します。

ただし、減額の最高限度額は項目別控除の合計額の80％とします。また、医療費、災害盗難損失、投資支払利子は減額の対象とはなりません。

表3　高額所得者に対する項目別控除の減額計算例（1999年）

調整総所得（独身）　　　$ 180,000

項目別控除

　州・市所得税　　　　$ 6,000

　住宅融資支払利子　　　12,000

　慈善寄付　　　　　　　2,000

項目別控除合計額　　　$ 20,000

減額の計算　　　（180,000 − 126,600）×3% ＝　1,602

減額の最高限度額　　　　　20,000×80% ＝　16,000

項目別控除認容額　　　　20,000 − 1,602 ＝ $ 18,398

$ 16,000よりも$ 1,602の方が少額のため、項目別控除合計$ 20,000は$ 1,602減額されて、控除認容額は$ 18,398となる。

参考　IRC(内国歳入法)Sec. 63(c) Standard Deduction

IRC Sec. 63(d) Itemized Deductions

IRC Sec. 63(e) Election to Itemize

IRC Sec. 68 Overall Limitation of Itemized Deductions

2. 医療費控除

　医療費は、項目別控除のひとつとして控除が認められます。調整総所得の7.5％の「足切り制限」のため、控除額は制限されます。

医療費
Medical Expenses

　項目別控除のひとつとして認められる医療費として、納税者本人、配偶者、扶養家族のために支払った以下の経費が含まれます。

　医師による診察料および治療費

　入院費

　手術費

　看護婦

　救急車

　レントゲン・血液等の検査料

　医師の処方箋によって調合された薬品代

　健康診断料

　医療関係交通費

　眼鏡、コンタクトレンズ

　義歯

　松葉杖

　車椅子

　盲導犬

　健康保険料

　適格慢性疾患の看護保険料、ただし患者の年令によって控

除の上限額が次のとおり異なります。

40歳以下	$ 200
41歳から50歳まで	$ 375
51歳から60歳まで	$ 750
61歳から70歳まで	$ 2,000
71歳以上	$ 2,500

　なお、この金額は98年以降、消費者物価指数に基づいてインフレ調整が施されます。

適格慢性疾患の看護費

　適格慢性疾患の患者とは、90日間継続して、食事、排尿排便、着衣、入浴、欲望抑制、移動のうち、少なくとも2つを自力で行うことが不可能であったことの証明を過去12カ月以内に公認健康管理士（Licensed Health Care Practitioner）から受けた者を指します。

　なお、生命保険料、市販の風邪薬、鎮痛薬、ビタミン剤等処方箋以外の薬品、美容のための整形手術、違法ドラッグ、違法手術、妊婦服、ピアス代、美容ダイエット薬および食品、健康食品、減量プログラム費用、ヘルスクラブ会員費等は、医療費として認められません。

　医療費からの健康保険による還付金を差し引いた後の年間支出合計額が調整総所得の7.5％を超えた部分が控除金額となります。7.5％「足切り制限」以下の場合、医療費控除は一切認められません。

表4　医療費控除制限の計算

調整総所得	$ 30,000
医療費	$ 6,000
健康保険還付金	−2,000
純医療費	4,000
足切り制限　(30,000 ×7.5％＝2,250)	−2,250
医療費控除認容額	$ 1,750

参考　IRC(内国歳入法)Sec. 213 Medical, Dental, etc, Expenses

3. 諸税金控除

　州・市所得税、固定資産税、動産税、外国所得税などの諸
税金は、項目別控除のひとつとして控除が認められます。

　項目別控除の一つとして認られるものに諸税金があります。
控除が認められるのは、次の4種類の税金です。①州、市、
地方自治体の個人所得税②固定資産税（Real Property Tax）
③動産税（Personal Property Tax）④外国所得税 (Foreign
Income Tax)

①州、市、地方自治体の所得税

州・市所得税
State and Local
Income Taxes

　源泉徴収票フォームW-2に記載された州・市所得税、カウ
ンティ、市町村所得税、予定納税として払い込んだ所得税、
前年度の確定申告の際の追加支払の所得税の合計額が控除の
認められる金額です。過年度の税務調査の結果、州、市およ
び地方自治体に対して支払った追加の所得税も控除できます。
ペナルティおよび延滞利息分については控除が認められませ
ん。

　州の廃疾保険基金（Disability Insurance Fund）および失
業保険基金（Unemployment Insurance Fund）に対する従業
員による強制拠出金も、州の所得税として控除が認められま
す。ニュージャージー、ニューヨーク、カリフォルニア、ア
ラバラ、ロードアイランド、ウエストバージニアの各州の源

泉徴収票フォームW-2にこれらの基金への強制拠出金が記載されています。

　前年度の州または市の確定申告書上、税金の過払いとなっていた分を還付請求せず、翌年の予定納税の支払いとして充当した場合、その金額も控除が認められます。州・市税の過払額は、還付されても、あるいは予定納税に充当されても、連邦税の計算上、課税対象の所得となります。

②固定資産税（Real Property Tax）

固定資産税
Real Property Tax
（Real Estate Tax）

　固定資産税は、土地、建物などの不動産の所有者に課される税金で、控除が認められるものとしてアメリカ国内ばかりでなく、国外にある不動産にかかる税金も含まれます。従って、アメリカに所有する住居の固定資産税も、日本の留守宅を人に貸さずに支払っている固定資産税も控除できます。

　住宅ローンの支払利子控除の場合には、納税者が所有する主たる住居、および他の1軒の合計2軒分についてのみ控除の対象となるという制限付きですが、固定資産税控除にはそのような制限がないため、3軒以上の住居について、また土地だけを所有していて支払う固定資産税についても、控除が認められます。

　ローンにたよらず現金でアメリカの住宅を購入した場合の固定資産税は、郡や市町村などの地方自治体政府から直接送られてくる請求書に基づいて、1月1日から12月31日までの間に実際に支払われた金額です。カウンティ・タックス、シティ・タックス、タウン・タックス、ビレッジ・タックスなどと呼ばれている場合もあり、またスクール・タックスと呼ばれるものも固定資産税として控除できます。

　住宅ローンを組んで住居を購入した場合は、住宅ローンの

毎月の返済額の中に預託管理(エスクロー)の形で銀行への税金預託支払額が含まれていることがあります。固定資産税の請求書は納税者へ送られず銀行へ届けられ、銀行は預託管理(エスクロー)勘定に累積されてきた資金から固定資産税の支払いをします。年明けに銀行から送られてくる住宅ローンおよび預託管理(エスクロー)勘定の明細書の中に、控除可能な支払利子と固定資産税の金額が記載されています。預託管理(エスクロー)勘定への支払額を固定資産税として控除するのではなく、銀行が預託管理(エスクロー)勘定の資金の中から、固定資産税として実際に政府へ払い込んだ金額が、控除できる金額です。

コープ(株式共同住宅)に住んでいる場合に注意すべきことは、住宅管理マネジメントに毎月支払うメインテナンス・フィー(管理費)の中に、固定資産税、および支払利子が含まれている点です。年明けに住宅管理マネジメントから送られてくる通知書に記載された1株当たりの金額に、株主テナントの持株数を掛け合わせて得られた金額が、控除可能な固定資産税と支払利子です。

コンドミニアム(買い取りマンション)所有者の控除可能な固定資産税は、一戸建住宅所有者の場合と同様、政府から直接送られてくる請求書に基づいて支払った金額、またはモーゲッジ銀行に対して預託管理(エスクロー)勘定を通じて支払った金額です。

住居を購入した年度または売却した年度は、売手と買手との間で固定資産税の支払いが、どちらに帰属すべきか按分配賦の計算を施して精算します。クロージング決算書にその情報が載っていますので、固定資産税控除の調整を行う必要があります。

③動産税（Personal Property Tax）

動産税
Personal Property
Tax

　動産税（パーソナル・プロパティ・タックス）は、乗用車、トラックなどの価値に課せられる税金で、アリゾナ、カリフォルニア、コロラド、コネティカット、ジョージア、インディアナ、アイオワ、メイン、マサチューセッツ、ミネソタ、ミシシッピー、モンタナ、ネブラスカ、ネバダ、ニューハンプシャー、オクラホマ、ワシントン、ワイオミングの18州にだけに存在します。車の登録料を除き、車の価値にかかった税金部分だけが控除可能です。

④外国所得税 (Foreign Income Tax)

外国所得税
Foreign Income
Tax

　外国所得税とは、外国（たとえば日本）で受け取る所得に課せられる税金で、たとえば利子、配当、レント収入にかかった源泉徴収税が挙げられます。外国所得税は納税者の選択により税額控除方式または経費控除方式のいずれかの方式を採ります。項目別控除は経費控除方式による控除です。

参考　IRC(内国歳入法)Sec. 164 Taxes

4. 支払利子控除

　住宅融資ローンと投資ローンの支払利子は、項目別控除の
ひとつとして控除が認められます。適格借入となるための条
件を満たさない場合は、消費者支払利子となり、控除は否認
されます。教育ローン（学生ローン）の支払利子は、所得調
整控除の対象となる97年改正税法による新規定です。

　支払利子控除が認められる借入は、住宅融資ローン、投資
目的の借入、教育ローンの3種類に限られています。住宅融
資ローンと投資目的の借入は、項目別控除（アイテマイズ
ド・ディダクション）として、教育ローン（学生ローン）は
所得調整控除として、それぞれ支払利子の控除が認められま
す。その他すべての個人消費目的の借入利子は、一切控除が
認められません。事業所得や不動産賃貸所得の計算上の必要
経費としての支払利子は、もちろん、上記の3種類の借入利
子のほかに控除が認められます。

①住宅融資ローン

◆住宅購入

住宅融資ローン
Home Mortgage
Loan
　支払利子が控除の対象となる住宅融資ローンとして認めら
れるためには、次の3条件のすべてを満たさなければなりま
せん。

1．住宅2軒までとすること。

　　2．合計上限借入額を＄1,000,000とすること。

　　3．住宅を担保にした融資（Mortgage loan)であること。

　納税者が住んでいる主たる住居（プリンシパル・レジデンス）および他のもう1軒（セカンド・レジデンス）、合計2軒分の住宅ローン支払利子の控除が認められます。もう1軒分は、セカンド・レジデンスの中から自由に選択できます。またアメリカ国外にある住宅でもかまいません。したがって、日本の留守宅を人に貸しておらず、留守家族が使っている場合の住宅ローン支払利子も控除できるわけです。3軒目以上の住宅ローンの支払利子は、消費者支払利子と見なされて控除は認められません。

　住宅ローンの借入上限額＄1,000,000に対応する支払利子は全額控除の対象となりますが、＄1,000,000を超える部分に対応する支払利子は消費者支払利子と見なされて控除できません。

　住宅を担保に供したローンでない場合、たとえば無担保の社内ローンを住宅購入資金としたケースでは、その支払利子は消費者支払利子と見なされて控除は認められません。

　通常、モーゲッジ銀行から年明けに送られてくるフォーム1098様式の調書に記載された金額が支払利子控除として認められる金額です。

◆ポイント割増利子

ポイント割増利子
Points

　一戸建住宅、コンドミニアム、コープなどの住宅の購入の際、購入価格の全額を現金で支払わず、自己資金の手持現金を頭金として、バランスは銀行などから借りる住宅融資モーゲッジ・ローンの資金を当てがって支払う方法が一般的です。ポイントは住宅ローンの契約に伴い、借り手が借入金に対し

てあらかじめ支払う割増利子のことです。ポイントを支払うことにより、長期間にわたって支払う借入金の利率を引き下げることができます。ローン借入金額の1％ないし3％と、通常かなりの金額となるポイントは、借入年度に全額の控除が認められます。

　別名、ローン・オリジネーション・フィー、ローン・アプリケーション・フィー、コミットメント・フィー、プレミアム、プリペイド・インタレストなどと呼ばれる項目の中に、ポイントが入っていることがあるので、申告書作成の際、見逃さないように注意を要します。主たる住居（プリンシパル・レジデンス）にかかわるポイントは、住宅購入年度に全額控除の対象となり、節税効果が高い項目です。第二住居（セカンド・レジデンス）のための住宅ローン取得ポイントは、ローンの返済期間にわたって、毎年小額ずつの控除の対象となります。

◆ホーム・エクイティ・ローン

ホーム・エクイ
ティ・ローン
Home Equity
Loan

　ホーム・エクイティ・ローンは住宅の値上がり含み益を担保にして行う借入のことで、この支払利子も控除の対象となります。主たる住居（プリンシパル・レジデンス）または第二住居（セカンド・レジデンス）の2軒を対象物件としたローンで、借入上限額10万ドル（＄100,000）に対応する支払利子です。エクイティ・ローン資金の使途には制限が設けられておらず、何に費してもかまわないことになっています。通常、パーソナル・ローンの形で借入れをして車の購入や休暇に費やすと、消費者支払利子となって控除が認められませんが、エクイティ・ローン資金をこれらの目的に使うのであれば支払利子控除が認められます。

◆住宅改築

住宅改築借入
Loan for
Substantial Home
Improvements

住宅の改築または建築のために行う借入も、住宅の購入と同等の扱いを受け、住宅購入の３条件を満たしていれば、支払利子控除が認められます。

◆リファイナンス・ローン

リファイナンス・
ローン
Refinanced Loan

主たる住居（プリンシパル・レジデンス）および第二住居（セカンド・レジデンス）の既存の住宅ローンよりも低利率などの好条件なローンへ切り換えた、リファイナンス・ローンの支払利子は、元の住宅ローンの支払利子と同様に控除が認められます。

リファイナンス・ローン契約にかかわるポイント割増利子は、ローン取得年度の全額控除は認められず、ローンの返済期間にわたって、毎年小額ずつの控除の対象となります。

②投資目的の借入

投資目的の借入
Investment Loan

株式、証券、ミューチュアル・ファンドなどの投資資産の購入または維持を直接目的とした投資目的の借入の支払利子は、控除が認められます。ただし、配当、利子、キャピタル・ゲインなどの投資所得までの金額が、控除の対象となる支払利子額です。投資所得を超過したため控除が認められなかった投資支払利子は、翌年へ繰り延べられて、翌年の限度額までの控除の対象となります。繰延期間は無期限です。フォーム4952で計算します。

教育ローン
（学生ローン）
Education Loan
(Student Loan)

③教育ローン

教育ローン（学生ローン）の支払利子控除は、97年改正

税法で新たに加えられた規定です。所得調整控除の対象となります。教育関連の優遇税制の項（112頁）を参照下さい。

参考　IRC(内国歳入法)Sec. 163(h)(3) Qualified Residence Interest
　　　IRC Sec. 163(d) Investment Interest

5. 慈善寄付控除

　慈善寄付は、項目別控除のひとつとして控除が認められます。慈善団体として認可を受けた組織に対する、現金および現物による寄付です。慈善寄付の証拠書類、現物贈与の評価などの規定に注意する必要があります。

①背景

　慈善行為は建国以前からのアメリカにおける伝統となっています。自国での宗教上、経済上、政治上の圧力から逃れて自由を求めて移り住んだ新天地アメリカで、苦労を重ねて自己の立場を確立する際に他者から受けた寛大な恵みを、生活が落ち着くと同時により恵まれない人々へ分け与える。それがまた次の代に受け継がれて、この国は発展してきましたが、その思想は今も見事に生きています。

　不況時に政府や財団の基金からの援助が途絶えがちになっても、慈善団体がどうにか存続できるのは、一般市民からの寄付金による支持があるのもその一因です。慈善寄付は、項目別控除の一つとして控除が認められるわけですが、医療費控除、災害盗難損失控除などには厳しい限度額制限が設けられているため、支出額全額の控除を受けることは不可能です。それに対して、慈善寄付控除は限度額制限が緩やかで、支出額全額の控除が認められる機会が多い制度となっています。それは慈善寄付を奨励するアメリカの博愛思想が、税法の仕

慈善寄付
Charitable
Contributions

組みにまで反映されているためであると言えます。

②非営利慈善団体

　控除が認められる寄付とは、IRS（内国歳入庁）からチャリタブル・オーガニゼーション（非営利慈善団体）としての認可を受けている米国の組織への贈与に限られます。以下に挙げる非営利団体が、通常、IRSからチャリタブル・オーガニゼーションとしての認可を受けています。

　◆宗教目的
　キリスト教教会、ユダヤ教寺院、回教寺院、仏教寺院等。
　◆慈善目的
　ボーイ・スカウト、ガール・スカウト、赤十字、ユナイテッド・ウェイ、YMCA、YWCA、癌協会、小児麻痺・エイズ等救済募金運動、救世軍等。
　◆科学、文化、教育目的
　病院、研究機関、大学、学校（ただし人種差別を行わないこと）、各種教育機関、犯罪・麻薬撲滅運動、図書館、美術館、博物館、交響楽団、室内楽団、オペラ、バレエ団、劇団、音楽堂、劇場、公序良俗改善運動、社会福祉促進運動等。
　◆一般公益増進目的
　児童虐待防止運動、動物愛護協会、アマチュア・スポーツ競技促進協会、司法扶助団体、連邦政府、州政府、地方自治体政府および各種政府機関。
　◆友愛目的
　退役軍人組織、友愛組合（ロータリー・クラブ、ライオンズ・クラブ）、非公益目的団体への慈善目的基金。

③慈善寄付の控除限度額

慈善寄付の控除限
度額 Deduction
Ceiling on
Charitable
Contributions

　寄付の金額が、調整総所得額に比例して著しく高くない限
り、限度額のことを心配せずに、全額控除が認められます。
一般的に、慈善寄付の限度額は、調整総所得の50％ですが、
寄付の種類によっては限度額が30％、または20％となる場
合があります。

◆調整総所得の50％を控除限度額とする寄付

　宗教目的、慈善目的、科学、文化、教育目的、および一般
公益増進目的の公衆によって支持された慈善団体に対する現
金による贈与、通常の所得を生み出す資産および短期保有の
キャピタル・ゲイン資産による現物贈与は、調整総所得の
50％を控除限度額とします。

◆調整総所得の30％を控除限度額とする寄付

　退役軍人組織、友愛組合、および非公益目的団体に対する
現金による贈与、および長期キャピタル・ゲイン資産以外の
現物贈与は、調整総所得の30％を控除限度額とします。前
述の公衆に支持された慈善団体に対する長期キャピタル・ゲ
イン資産の現物贈与も調整総所得の30％が控除限度額です。

◆調整総所得の20％を控除限度額とする寄付

　退役軍人組織、友愛組合および非公益目的団体に対する長
期キャピタル・ゲイン資産の現物贈与は、調整総所得の
20％が控除限度額です。

　慈善団体への役務提供による奉仕活動の評価相当額は、決
して控除の対象とはなりません。奉仕活動に伴って支出した、
米国内における旅費、交通費、宿泊費、食費等の実費分につ
いては、控除が認められます。車の使用分は、実費の代わり
に1マイル当たり14セント（1999年）（歳入法第170(i)条）

の標準マイレッジ・レートを適用して計算してもよいことになっています。慈善寄付の金額が多額であったため控除限度額を超過した場合、超過額は翌年に繰り延べされて、控除が認められます。繰り延べは、5年間にわたって認められます。

④慈善寄付の証拠書類

慈善寄付の証拠書類
Records to Substantiate Charitable Contributions

金額が＄250未満の慈善寄付を立証する記録としては、支払済小切手、または日付の入った領収証があればよいことになっています。寄付の金額が＄75を超え、寄贈先から見返りとして品物や入場券などを受け取った場合は、その価値について開示した慈善団体発行の文書を必要とします。この場合、控除が認められるのは、寄付金額から見返り価値を差し引いた差額だけとなります。寄付の金額が＄250以上の場合は、証拠として支払済小切手だけというのは認められず、慈善団体からその金額の寄付を受領したこと、そして品物や入場券などの見返り価値が与えたことを明記した確認状を受け取っておく必要があります。現金ではなく現物による寄付の場合も、慈善団体から発行された受領証を受け取っておく必要があります。同時に、寄付をした現物の購入価格および寄贈時点の公正市場価格を示す証拠書類も必要とします。

現物による寄付が＄500を超える場合は、様式フォーム8283に明細を記入し、申告書に添付提出することが求められます。さらに現物による寄付が＄5,000を超える場合は、しかるべき専門家による鑑定書を必要とします。

現物贈与の評価
Evaluation of Property Contributions

⑤現物贈与の評価

現物贈与は、資産の種類によって評価方法が異なります。

1年以上保有した含み益のある株式および不動産の贈与は、その公正市場価格を控除することができます。株式および不動産の保有期間が1年未満の場合、保有期間にかかわりなく家具、書籍、什器、宝石、美術品などの動産の場合は、購入価格または公正市場価格のいずれか低い方を慈善寄付の評価額とします。

参考　IRC(内国歳入法)Sec. 170 Charitable Contributions and Gifts

6. 災害盗難損失控除

　災害盗難損失は、項目別控除のひとつとして控除が認められます。調整総所得の10％の「足切り制限」のため、控除額は制限されます。

①控除の範囲

災害盗難損失
Casualty and
Theft Losses

　個人が所有する財産、たとえば住居、車、宝石、現金などの価値が災害によって著しく下がったり、盗難によって財産を失った場合に、項目別控除の一つとして控除が認められます。災害とは、ハリケーン、地震、竜巻、洪水、暴風雨、地すべりなどの自然現象、火災、自動車事故、暴動または動乱による破壊を指します。災害は、突然の破壊力によって生じたものでなければならず、家屋の浸食、腐食、シロアリ浸食のように、自然的に一定期間を経て生じた損害は控除の対象となりません。忘れ物、落とし物も災害損失控除はできません。大統領によって被災地域(DisasterArea)指定が宣言されると、発生年度の前年に損失控除を申告して、還付を受けることができます。

　保険による補償がなされなかった額のうち、災害1件につき＄100を超える部分で、さらに損失合計額が調整総所得の10％を超えた部分が控除の金額です。損失合計額が、この10％の「足切り制限」以下の場合、控除は一切認められません。この10％の「足切り制限」のため、災害盗難損失控

除は、多くの納税者にとって縁遠い控除項目となっています。フォーム4684で計算します。

②損失の証拠

損失の証拠 Proof of Casualty Loss

災害を被る前の状況を示す写真、損失状況を示す写真、災害の報道記事、警察署への被害届、消防署の報告書、購入時の領収証、保険会社へのレポート、修繕費の領収証、鑑定士、建築家などの専門家の鑑定書などを損失の証拠書類として保管しておく必要があります。

損失の評価額としては、財産を失った場合は、原価または公正市場価格のいずれか低い方の金額をとり、自動車事故や嵐による家屋損壊など、修繕を必要とする損害を被った場合は、修繕費をとります。

表5 災害盗難損失控除制限の計算

調整総所得			$ 30,000
	災害	盗難	
損失額	$ 7,600	$ 4,500	
保険還付金	−6,000	0	
各件削減額	−100	−100	
純損失額	1,500	4,400	
損失合計額	(1,500＋4,400＝5,900)		$ 5,900
足切り制限	(30,000×10%＝3,000)		−3,000
災害盗難損失控除認容額			$ 2,900

参考　IRC(内国歳入法)Sec. 165 Losses

7. 勤務活動経費控除／投資関連経費その他控除

　従業員が勤務活動の一環として、会社のための支出した経費、投資関連経費、その他は、項目別控除のひとつとして控除が認められます。調整総所得の2％の「足切り制限」の対象となり、控除額は制限されます。

勤務活動経費控除

勤務活動経費
Employee
Business
Expenses

　給与所得者が勤務活動の一環として雇用主のために支出した経費で、会社からの返済額を超過した金額が控除の対象となります。ただし、経費の合計額が、納税者の調整総所得の2％を超える部分が実際に控除できる金額です。勤務活動経費として、次が挙げられます。

　　①出張旅費
　　②交通費
　　③交際費
　　④贈答品費
　　⑤組合費
　　⑥職業団体会員費
　　⑦計算機、文房具などの費用
　　⑧専門雑誌、職業新聞講読料
　　⑨勤務関係教育費
　　⑩自宅内事務所経費

　これらの勤務活動経費は、領収書だけでなく、勤務活動と直接的関係を示す根拠の記録の保管を必要とします。たとえ

ば、交際費を控除するには、まず納税者の直接・間接の仕事
に関係する顧客の接待であることを示し、接待の目的、接待
された人の名前とタイトル、時間、場所、領収書などの記録
保管義務を果たしていなければなりません。事業遂行上にお
いて通常かつ必要な経費に該当することを示すことができな
ければ、税務調査の際控除は否認されます。フォーム2106
に詳細を記入します。

　出張旅費には、航空運賃、タクシー代等の交通費、宿泊費、
食費（50％部分は否認）、電話・ファックス料金、チップ、洗
濯代などが含まれます。ほとんどの場合、会社から出張旅費の
返済を受けているため、この種の費用の控除は返済を受けられ
なかった自己負担分だけとなります。一定条件を満たす会社の
従業員は、出張旅費に関して実額方式のかわりに、政府の定め
た定額日当方式を使って経費合計額を計算することも可能です。

　交通費とは、あくまでも仕事上の経費をいい、通勤費と見
なされる支払は控除が認められません。したがって、会社か
ら支給される通勤手当は、一定の例外を除いて給与と見なさ
れ、会社側には源泉徴収義務があり、従業員側には個人の課
税対象所得として申告する義務があります。自分の車を会社
の仕事のために使った場合は、車の減価償却、ガソリン代な
どの維持費を按分配賦によって計算した実費を使う方法と、
標準マイレッジ・レートを使う方法とがあります。標準マイ
レッジ・レートは1999年1月から3月までが1マイル当たり
32.5セント、1999年4月以降が1マイル当たり31セントです。
駐車代、高速道路料金ももちろんさらに加えて控除できます。

交際費
Entertainment
Expenses

　交際費は、50％部分が控除の対象となり、50％部分は否
認されます。仕事に関係するレストランでの食事代、ナイトク
ラブ、観劇、スポーツ観戦などが交際費として考えられます。

　贈答品費は、顧客などの贈答相手一人につき＄25までが

控除限度額となっています。たとえば、＄100のギフトを贈答相手一人に贈った場合、＄75は否認、＄25だけが控除の対象となります。

　組合費として、アメリカのユニオン会費ばかりでなく、日本人駐在員が日本の本社で加入している組合の会費も含まれます。

　職業団体会員費として、技術者協会、会計士協会、弁護士協会、商工会議所の年間会員費が考えられます。

　仕事のために使用した器具、備品類の実費は控除が認められます。ワープロ、計算機、文房具などがこれに該当します。

　仕事のために必要とした専門雑誌や職業新聞の購読料も控除が認められます。

　教育費は、納税者の現職に関する知識や技能の維持、向上に役立つものだけが控除できます。授業料、教科書代、教材費、交通費が含まれます。卒業後または修業後、新しい職業に就職できるような場合の教育費は、控除が認められません。駐在員の英語の勉強にかかる授業料などは仕事のためであり、控除対象と考えられます。

　会社の要求に従って行う健康診断費、ユニフォーム代、仕事用保護ヘルメット、安全靴、安全眼鏡などの費用も控除できます。

　会社の便宜のため、従業員が使用する自宅内事務所の経費も控除が認められます。自宅を占有的および定期的に使用する必要があります。当規定は、97年改正税法で新たに加えられたものです。

投資関連経費その他控除

投資関連経費
Investment
Related Expenses
　調整総所得の２％を超える部分について控除が認められる項目別控除には、勤務活動経費のほかに投資関係経費その他

その他控除
Miscellaneous
Expenses

控除として、次があります。
　①投資顧問料
　②投資弁護士費用
　③投資管理手数料
　④投資相談料
　⑤セーフ・ディポジット・ボックス（貸金庫）
　⑥税務申告書作成手数料
　⑦税務相談料
　⑧税務調査立会手数料

表6　勤務活動経費、投資関連経費その他控除制限の計算

調整総所得	$ 80,000
勤務活動経費	$ 2,500
投資関連経費	400
税務申告書作成手数料	500
合計支出額	3,400
足切り制限　　　（80,000×2％＝1,600）	−1,600
控除認容額	$ 1,800

参考　IRC(内国歳入法)Sec. 67 2% Limitation of Itemized Deductions
　　　IRC Sec. 162 Trade or Business Expenses
　　　IRC Sec. 280A Business Use of Home
　　　IRC Sec. 213 Expenses for Production of Income

8. 人的控除・扶養控除

　納税者本人、配偶者および扶養家族各一人につき＄2,750（1999年）の控除が認められます。扶養控除が認められるためには扶養家族のための5つの条件を満たす必要があります。

人的控除・扶養控除
Personal
Exemptions

　人的控除・扶養控除（パーソナル・イグゼンプション）は、納税者本人、配偶者、扶養家族各一人について一定金額の控除が認められるという制度です。日本の所得税の基礎控除、配偶者控除、扶養控除に相当します。1998年の人的控除・扶養控除の金額は一人＄2,700でしたが、1999年は＄2,750、2000年は＄2,800です。2001年以降も、消費者物価指数に基づくインフレ調整が施されて増額していくはずです。

　扶養控除が認められるためには、扶養家族となる5つの条件のすべてを同時に満たす必要があります。なお、この目的上、配偶者は扶養家族にはならず、これらの条件を満たさなくても配偶者控除が認められます。

①親族・世帯員条件

親族・世帯員条件
Relationship Test

　三等親以内の血縁関係または姻戚関係の親族であること。子、継子、養子、孫、祖孫、義理の息子・娘、親、義理の父母、兄弟姉妹、義理の兄弟姉妹、祖父母、継父母（以上は血縁関係、姻戚関係のどちらでもかまいません）。伯(叔)父、伯(叔)母、甥、姪（以上の四者は血縁関係の場合のみ）。

ただし、一年中を通じて家族の一員として同居している場合は、親族である必要はありません。

年内に生まれた子供は、生まれた年度に扶養家族となります。たとえ12月31日に生まれてもです。ただし、死産の場合は決して扶養控除は認められません。里子の場合は、1年中を通じて家族の一員である必要があります。養子は実子と同様に扱われるため、同居していなくても他のすべての扶養条件を満たしていれば、扶養控除が認められます。扶養家族が死亡した場合、他のすべての扶養条件を満たしていれば、死亡年度に扶養控除が認められます。

②扶養条件

扶養条件
Support Test

納税者が、被扶養者の年間生活維持費の半額以上を供給している必要があります。納税者が被扶養者の年間生活維持費の10％以上を供給し、他の扶養者との合計供給率が50％超となる場合、共同扶養契約の合意に定められた扶養者が扶養控除の権利を有することになります。

離婚・別居の場合は、通常、子供の養育保護に、実際より深いかかわりを持つ側の親が、扶養控除の権利を有します。権利放棄宣告書に署名することにより、実際には養育保護に携わらない側の親に扶養控除の権利を移すこともできます。

③総所得条件

総所得条件
 Gross Income
Test

被扶養者の年間総所得が、その年度の扶養控除額未満であること、すなわち1999年は＄2,750（2000年は＄2,800）未満でなければなりません。ただし、被扶養者が納税者の子供である場合は、その子供の年間総所得が＄2,750（1999年）

第5章
非居住外国人の税金

1. 非居住外国人の税金

　非居住者は、居住者の場合と異なり、原則として米国源泉所得だけが課税対象となります。認められる控除の種類や適用される税率、申告書様式も異なります。

①課税対象所得

非居住外国人
Nonresident Alien

　非居住外国人は、米国源泉所得のみが、アメリカでの所得税の課税対象となります。一方、居住外国人は、税法上、基本的にアメリカ市民と同様の扱いを受け、居住者である期間に受け取った米国源泉および外国源泉の全所得についてアメリカで課税されます。したがって、支払の場所にかかわりなく、給与、利子、配当、事業所得、キャピタル・ゲイン、不動産賃貸所得など、アメリカで受け取る所得も、日本などの外国で受け取る所得も、すべて報告しなければなりません。

　非居住外国人は、米国源泉所得のうち、アメリカでの給与所得や事業所得などの役務を提供したことによる所得、アメリカの不動産の売却による所得などについては、確定申告をして納税することになります。この場合には、非居住外国人専用の申告書フォーム1040NRを用い、通常の個人所得税率、15％から39.6％までの5段階の累進税率が適用されます。

　利子、配当、ロイヤルティ権利使用料などの投資所得については原則として源泉徴収税（10％、15％、30％のいずれかの税率）だけで課税は完結します。なお、非居住外国人の

米国内の銀行預金からの利子については、それが事業に関連して保有されている預金でない限り、連邦税の課税は生じません。

　非居住外国人がアメリカ国内に不動産を有し、レント収入を受け取っている場合は、上記の確定申告によってレント総収入からレント活動に関連するすべての必要経費を差し引いたネット・レント（不動産賃貸所得）を報告して通常の所得税率での納税をするか、または源泉徴収方式によってグロス・レントの30％の税金を支払うか、いずれかを選択することができます。もちろん通常、前者のネット・レント方式の方が税金が少なくなるため、有利となります。

　非居住外国人の場合、居住外国人と比較して、いくつかの税金計算上の取扱いの相違があります。

②税率の制限

　通常、既婚者には夫婦合算申告（ジョイント・リターン）と夫婦個別申告（セパレート・リターン）の２種類の申告資格（税率表）があり、いずれか一方を選択して申告します。夫婦合算申告の方が税金が少なく計算されることが多いため、通常条件さえ満たせば極力この申告資格を選択します。ところが、選択が自由にできるのは、外国人の場合、居住者に限られ、既婚者である非居住者はたえず夫婦個別申告を適用しなければなりません。

　独身の場合には、居住者も非居住者も同じ税率表である「独身」または「特定世帯主」を適用して申告します。

　居住者の場合、所得の種類にかかわりなく、すべての所得が通常の連邦所得税率である15％から39.6％までの累進税率が適用されます。非居住者は、所得の種類によって、この

通常の連邦所得税率、または10％、15％、30％の源泉徴収
税率のいずれかの課税の対象となります。

③控除方式の制限

　居住外国人は、項目別控除（アイテマイズド・ディダクシ
ョン）または概算額控除（スタンダード・ディダクション）
の2種類の控除方式のうち、どちらか有利な方式を選択でき
ます。一方、非居住外国人には概算額控除は認められず、項
目別控除だけの適用が義務付けられています。控除の対象と
なる項目が無ければ控除ゼロという場合もあり、明らかに居
住外国人と比べて不利となります。

④控除項目の制限

　居住外国人は、項目別控除のすべての項目、支払利子、固
定資産税、医療費、外国税、動産税、州市所得税、災害盗難
損失、慈善寄付、勤務活動経費、投資関連経費その他経費の
控除が認められます。それに対して非居住外国人は、支払利
子、固定資産税、医療費、外国税、動産税の控除は認められ
ず、州市所得税、災害盗難損失、慈善寄付、勤務活動経費そ
の他経費の控除だけに限定されます。

⑤人的控除の制限

　納税者自身の人的控除（1999年 $2,750、2000年 $2,800）
は、居住者の場合も非居住者の場合も、どちらにも認められ
ます。一方、配偶者および扶養家族の配偶者控除と扶養控除
については、一定条件を満たせば居住者に認められますが、

非居住外国人には原則として認められないことになっています。ただし、日本人に限り日米租税条約の規定に基づき、配偶者、扶養家族がアメリカ国内に滞在していれば、配偶者控除、扶養控除が認められます。ただし、金額的には一人につき＄2,750（1999年）（2000年は＄2,800）全額ではなく、課税対象の米国源泉所得が、国外源泉所得も含めた年間総所得に占める割合で按分した金額の控除が認められます。

⑥申告書様式

居住者が「フォーム1040」（U.S. Individual Income Tax Return）という様式にすべてのデータを記入して申告するのに対して、非居住者は、「フォーム1040NR」（U.S. Nonresident Alien Income Tax Return）という様式で申告します。申告書の提出先も、居住者の場合は各地域にあるIRSセンターであるのに対して、非居住者の場合はフィラデルフィアのIRSセンターとなっています。

以上のとおり、居住者と非居住者とでは、課税上の諸要件が異なるため、アメリカにおける外国人の税金を検討するにあたり、居住者、非居住者の判定および諸要件の明確な認識を必要とします。

参考　IRC（内国歳入法）Sec. 871 Tax on Nonresident Alien Individuals

2. 非居住外国人の銀行預金利子／その他の直接投資

　　非居住外国人が米国に開設した銀行口座から生じる利子は、アメリカの税法上非課税となっています。キャピタル・ゲイン、財務省証券利子、地方債利子も非課税です。

非課税銀行預金利子
Tax Free Interest on Deposits

　　非居住者名義の銀行口座から生じる利子は、アメリカの税法上非課税となっています。日本人が直接、アメリカ国内に開設した銀行口座の利子は、アメリカの税金は免税ということです。グリーンカード以外のビザ保持者が日本へ帰国すると、帰国時点でアメリカの税法上は非居住者となり、帰国後もアメリカの銀行口座を残しておいても、その利子は非課税扱いですから、税務申告の必要はありません。

　　帰国などのためアメリカを離れる際に気を付けなければならないこととして、口座名義人の資格を居住者から非居住者へ変更する旨の届け出を銀行宛に行うことがあります。フォームW-8という様式に必要事項を記入し、署名をして銀行へ提出すると、届出以降の利子は非課税となります。この手続きを怠ると、銀行口座を閉鎖しない限り、毎年IRS（内国歳入庁）および預金名義人に対して年間に支払われた利子の総額を記載した調書フォーム1099INTが、銀行によって発行されます。IRSはコンピューターを使って調書上の金額が正しく税務申告されているかどうかを名寄せ照合を行っているため、相当額の利子収入があるにもかかわらず非居住者だから非課税と信じて申告をしないでいると、後でIRSから申告命

令の催促状が送られてきます。このため、銀行へのフォーム
W-8様式の提出により、居住者から非居住者への資格変更届
を行っておくことが大切です。

　なお、日本側では居住者として全世界所得が課税対象とな
ります。日本国内の預金利子は20％の税金（所得税15％、
住民税５％の分離課税）が源泉徴収されるため、申告義務が
ありません。外国からの利子所得は、申告所得税の対象とな
り、一定額以上の他の所得がある納税者には、利子所得に対
して分離課税の税率(20%)よりも高い税率が適用されること
になります。

　日本から直接、アメリカの株式投資をした場合、通常の配
当金は日米租税条約第12条により15%の源泉徴収税の対象と
なります。株式配当は非課税、株を売却して得たキャピタ
ル・ゲインも免税です。日本から直接、アメリカの「ミュー
チュアル・ファンド」に投資をした場合は、分配の種類によ
って15%または10%（日米租税条約第13条）の源泉徴収税の
対象となるものと、キャピタル・ゲイン分配のように免税の
ものとがあります。

　非居住外国人（日本人）が受け取る米国財務省証券、地方
債の利子も非課税です。

参考　IRC(内国歳入法)Sec. 871(i) Tax Not to Apply to Certain Interest
　　　and Dividends
　　　IRC Sec. 1441 Withholding of Tax on Nonresident Aliens
　　　日米租税条約第12条、第13条

3. 非居住外国人の不動産直接投資

　非居住外国人が米国内不動産レントを受け取る場合、源泉徴収方式またはネット・レント課税方式のいずれかを選択できます。通常、ネット・レント課税方式の方が税金か低くなり有利となります。不動産の売却の際、10％の源泉徴収税の対象となります。

①米国側の課税

　アメリカに住んでいた日本人が、帰国後もアメリカの持ち家を処分せずに、人に貸している場合、または日本からの直接投資により取得した不動産をレントしている場合、レント収入に対する連邦所得税の課税上、非居住外国人に適用される次の二つのうちのいずれかの方法を選択します。

　◆源泉徴収方式

　テナントがレントを支払う際に、30％の税率で源泉徴収を行い、家主に代わってこの税金額をIRSへ納付します。

　◆ネット・レント課税方式

　レント総収入から固定資産税、支払利子、修繕費、管理費、維持費、保険料、減価償却費（ACRS, MACRS）などの必要経費を控除したネット・レント純利益または純損失（不動産賃貸所得）について、家主である納税者が確定申告し、通常の税率（15％、28％、31％、36％、39.6％の5段階の累進税率）で税金を納付します。通常、源泉徴収方式と比べて税

金が低くなるため、有利となります。

（1）源泉徴収方式

源泉徴収税
Withholding Tax

源泉徴収方式では、賃貸活動からの収支の損益に関係なく、たとえネット・ロスの計算が可能であっても、絶えずレント総収入金額の30％の税金を支払うことになります。それに対してネット・レント課税方式では、レント総収入からすべての関連必要経費控除後の圧縮されたネットの金額に、通常の税率を適用して税金を支払うため、源泉徴収方式よりも税額がはるかに少なくなることは明らかです。関連必要経費の合計額がレント総収入よりも多ければ純損失となり、納付する税金はゼロとなります。

源泉徴収方式は、源泉徴収だけで連邦税の課税関係が終了し、確定申告の提出を必要としません。しかし、住宅を借りているテナントまたは管理委託を任された会社が、毎月のレントから30％の税金を徴収して銀行振替でIRSへ納付していき、1年間のまとめを年末に報告書フォーム1042様式に記入してIRSへ提出する義務があります。テナントまたは管理委託会社にとっては、いたって煩雑な事務手続きであるため、専門家の手助けなしには、この源泉徴収事務は達成できません。

（2）ネット・レント課税方式

ネット・レント
Net Rental
Income

源泉徴収方式を選択しなかったため、レントが税金を引かれずに全額支払われている場合、決しておろそかにしてはいけないのが、確定申告書の提出です。ネット・レント課税方式の選択は、まずテナントに対してフォーム4224という様式を提出して、源泉徴収の対象とならない旨の意思表示を行います。報告を必要とする最初の年度に申告書フォーム1040NR様式にネット・レント計算スケジュールE様式を添

付して提出します。申告書を提出しないで、そのままにしておいてオリジナルの申告書提出期限から1年4カ月が経過すると、すべての関連必要経費を控除する権利を失い、レンタル総収入に対して通常の税率（15％から39.6％までの5段階の累進課税）を適用して計算した税金が徴収されます。関連必要経費を差し引いたネット・レントは純損失になるため、どうせ税金が発生しないということで申告しないというのは、大変危険です。アメリカでは、申告書を提出しないと時効も成立しないため、税務調査が開始すると何年でもさかのぼって追徴税、延滞利子、ペナルティが課されるからです。

なお、税金は連邦政府だけではなく、不動産が所在する州政府に対しても申告納付をする義務があることに注意する必要があります。

②日本側の課税

日本の居住者は、全世界での所得が日本で課税対象となります。アメリカ国内の不動産賃貸から生じるネット・レント純利益は、日本の所得税法上の不動産所得であり、給与所得などと合算して総合課税の対象となります。ネット・レントが純損失（赤字）となった場合、原則として給与などの他の所得との損益通算による相殺控除をすることができます。しかし、この損益通算を無制限に認めることが節税対策に利用されて、思いがけない土地需要を生み出したことがバブル期の地価高騰の一因となったこともあり、土地所得に対する借入金利子の損益通算に制限が設けられました。この制限とは、ネット・レント純損失が土地部分に対応する支払利子を控除したこたとによって生じた分について、損益通算による相殺控除を認めないとするものです。建物部分に対応する支払利

子、減価償却などによって作り出された純損失だけについて
は相殺控除が認められます。

　日本の居住者（アメリカの非居住者）によるアメリカの不
動産のネット・レントの金額は、次の理由によりアメリカ側
でのネット・レント純利益（または純損失）の金額を円換算
した金額と同一とはなりません。

（1）減価償却費計算上の相違

　アメリカでは国内の居住レンタル用不動産の耐用年数とし
て、新築、中古、鉄筋、木造の区別なく一律27.5年を適用す
るのに対して、日本では建物の種類によって、それぞれ異な
る年数を適用します。償却方法も、アメリカでは定額法だけ
を適用するのに対して、日本では定率法と呼ばれる（定額法
とは異なる）方法の選択適用も可能であるため、同一物件で
あるにもかかわらず、減価償却費の金額が日米で異なること
となります。

（2）控除対象支払利子の相違

　アメリカでは、支払利子は建物部分、土地部分の全体につ
いて控除できますが、日本では前述の理由によりネット・レ
ントを純損失にさせる土地部分の支払利子の控除は認められ
ません。

（3）ドル換算レート適用による相違

　米ドルから日本円に換算する際、不動産や動産については
取得時の為替レートを使用して減価償却費を計算します。レ
ント収入、およびその他の必要経費については、当該年度の
為替レートを使用します。このための差も生じることになり
ます。

以上の計算上の違いにより、同一物件のネット・レントの
計算が、日本とアメリカとで異なるという結果が生じます。
　日本とアメリカの両方で税金を納めることとなった場合は、
アメリカ側で支払った税金について外国税額控除の形で日本
の税金から差し引くことにより、二重課税の回避が達成でき
ます。

③不動産譲渡に対する源泉徴収税

　非居住外国人が保有していた不動産を売却する際、購入者
（買手）は不動産を売却価格の10％の源泉徴収税を差し引い
てIRSへ納付する義務があります。ただし、不動産の売却価
格が＄300,000以下であり、その不動産を購入者の住居とし
て取得する場合には、当源泉徴収税の対象となりません。非
居住外国人（売手）にとっては、売却価格が購入価格（取得
費）よりも低いため売却損になることが分かっていても、
IRSから源泉徴収免除の特別認可の証明書が発行されない限
り、源泉徴収税を回避することはできません。免除の証明書
の発行を受けるには相当に煩雑な手続きを必要とする上、認
可が発行されるという保証もありません。
　源泉徴収税が差し引かれた場合は、翌年の4月15日までに
確定申告書フォーム1040NRにフォーム8288を添付提出して、
税金の精算をすることにより還付されます。

参考　IRC(内国歳入法)Sec. 871　Tax on Nonresident Alien Individuals
　　　Reg. 1.874-1(b)　Filing deadline for return
　　　IRC Sec. 871(d)　Election to Treat Real Property Income
　　　IRC Sec 1445 Withholding on U.S. Real Property Interest

4. 留学生の税金

　外国人留学生は、課税対象の所得がある場合はもちろんの
こと、たとえ収入がなくても、IRSへ毎年申告書を提出する
義務があります。

　アメリカの大学、専門学校、語学学校などにFビザ、Jビ
ザ、Mビザ、Qビザで通学している外国人留学生は、1992年
以降たとえ課税対象の所得がなくても、IRSへの申告書の提
出が義務付けられています。

　使用する様式は、フォーム8843（Statement for Exempt
Individuals with a Medical Condition）とフォーム1040NR
（U.S. Nonresident Alien Income Tax Return）です。

　フォーム8843には、学生の氏名、日本の留守宅住所、ビ
ザの発行日、国籍、パスポート発行国、パスポート番号、過
去3年間のアメリカ滞在日数、当該年度に勉学していた学校
の名称、同住所、電話番号、所属学科の学部長の名前、同住
所、電話番号、過去6年間の保有ビザの種類などのインフォ
メーションを記入します。日本からの仕送りだけでアルバイ
ト収入もなく、奨学金の給付も受けていない留学生は、サイ
ンをしたフォーム8843だけをフィラデルフィアのIRSへ送付
すればよいことになっています（身分情報申告書）。留学生
にアルバイト収入がある場合、奨学金の給付を受けている場
合、企業留学生の場合は、フォーム1040NRに必要事項を記
入し、フォーム8843を添付して、フィラデルフィアのIRSへ

提出する必要があります。

　フォーム1040NRは非居住者外国人用の申告様式で、課税所得がある場合にこのフォームで税金を計算します。通常、外国人は税法上の「実質的滞在条件」によりアメリカ滞在日数が183日以上になると居住者とされます。5年以下滞在の留学生は「実質的滞在条件」の計算から除外されているため、たとえ年間滞在日数が183日以上となっても非居住者となります。したがって、留学生は居住者用の申告様式であるフォーム1040ではなく、非居住者用の申告様式であるフォーム1040NRを使用しなければならないわけです。

　非課税の奨学金の給付を受けている場合、および企業留学生で本社からの非課税の送金で学費および生活費をまかなっている場合は、フォーム1040NRにその詳細を記入してIRSへ提出します。税務申告書フォーム1040NRには情報を記入するだけで、税金は発生しません。

　税金が発生するのは、アルバイトなど役務提供をして給与や報酬を受けた場合です。年明けに雇用主から受け取る源泉徴収票フォームW-2に記載された給与の金額から、日米租税条約第20条で非課税とされている＄2,000を差し引いた金額を課税対象額としてフォーム1040NRの該当欄に記入します。役務所得＄2,000の非課税の取り扱いについては、同一条項の適用であるにもかかわらず、日本とアメリカとではその解釈が異なります。日本側では、アメリカ人留学生の日本での役務所得（給与・報酬）が年間＄2,000（円の相当額）以下であれば非課税、＄2,000（円の相当額）を超過すれば全額課税対象としています。それに対してアメリカ側では、日本人留学生のアメリカでの役務所得が、年間合計＄2,000を超過した場合でも、＄2,000分を非課税扱いとして控除することが認められています。この租税条約第20条の非課税扱い

$2,000の適用を受けるためには、フォーム1040NRのページ１とページ５の所定欄に条約の条項および金額を記入する必要があります。

　留学生は非居住者であるため、米国銀行の預金利子は非課税となります。非課税扱いが適用されるためには、銀行に対してフォームW-8を提出して、非居住者口座である旨を明確にしておく必要があります。

　Ｆビザ、Ｊビザ、Ｍビザ、Ｑビザ保持者の給与は、ソーシャル・セキュリティ・タックスおよびメディケア・タックス（社会保障税合計7.65％）が免除されます。

参考　IRC（内国歳入法）Sec. 871(c) Participants in Certain Programs
　　　IRC Sec. 3121(b)(19) Definitions

5. 納税者番号

　アメリカで税務申告する場合、ソーシャル・セキュリティ番号を、配偶者も扶養家族も取得しなければなりません。ソーシャル・セキュリティ番号を取得できない場合は、IRSが発行する「個人納税者番号」を取得する必要があります。

ソーシャル・セキュリティ番号
Social Security
Number

　アメリカで税務申告をする納税者は、必ずソーシャル・セキュリティ番号を取得しなければなりません。配偶者も扶養家族も同様にソーシャル・セキュリティ番号を必要とします。ビザの種類によっては、ソーシャル・セキュリティ・オフィスでソーシャル・セキュリティ番号を発行してくれない場合があります。また、日本からアメリカに直接投資をしていて、IRSに対して申告書を提出しなければならないようなケースもあります。その場合もソーシャル・セキュリティ番号は取得できません。

個人納税者番号
Individual
Taxpayer
Identification
Number

　ソーシャル・セキュリティ番号を取得できない外国人は、税務申告のために個人納税者番号を取得することが義務付けられています。米国で申告する外国人納税者、その配偶者、扶養家族が対象となります。番号がない場合は、合算申告が認められず、配偶者控除や扶養控除が否認され、追加の税金およびペナルティと延滞利息が課せられます。より節税効果の高い立場をとるためにも、ぜひとも個人納税者番号を取得すべきです。

　個人納税者番号は ①フォームW-7に必要事項を記入し、

②パスポート、③運転免許証または戸籍謄本を、アメリカ国内のIRSまたは、日本のアメリカ大使館にあるIRS事務所に持参の上、出頭して申請します。IRSに直接これらの資料を提出する場合の送り先は次のとおりです。

Internal Revenue Service
Philadelphia Service Center
ITIN Unit P.O. Box 447
Bensalem, PA 19020, U.S.A.

　パスポート、運転免許証、戸籍謄本などとその英訳は、オリジナルを送るか、認証済みのコピーと英訳とを送る必要があります。

6. 日米租税条約

　日本とアメリカとの間に租税条約があり、日本人が特定の目的を持ってアメリカに滞在する場合などに適用されることがあります。

　日米租税条約の目的は、日米間の二重課税を回避し、脱税を防止するとともに、日米間の資本導入、人的交流を促進することにあります。日米租税条約は、日本人が特定の目的を持ってアメリカに滞在する場合などに適用されることがあります。以下、個人に関わりがあると思われる代表的な条項を挙げてみます。

①双方居住者（条約第3条第3項）

　日本の税法上、日本の居住者であり、同時に米国の税法上も米国の居住者であるという場合があります。このように、同一人が二つの国の両方で居住者となる状態を、双方居住者（Dual Resident）と呼びます。例えば、日本の会社に籍を置いたまま、出張の形で日本と米国の間を行き来して、年間の米国滞在日数が183日を超えると、米国の税法規定の「実質的滞在条件」を満たして居住者と判定されます。一方、家族、住所、家、所属する会社、住民票などのすべてが日本にあり、日本の税法上も紛れもなく日本の居住者となります。

　条約第3条第3項は、米国と日本の両国において双方居住

者が生じた場合に解決を与える条項です。すなわち、双方居住者となった個人は、次の基準を順番に適用して、より密接にかかわりがある方の国の居住者とされることになります。

　　1．恒久的住居の有無
　　2．重要な利害関係の有無
　　3．常用の住居の有無
　　4．国籍の有無
　　5．両国の協議

　この条項の基準を適用すれば、日本の居住者が日本の会社に籍を置いたまま日本と米国の間を行き来して、たまたま年間の米国での滞在日数が183日を超えても、米国の居住者となることを回避できるわけです。非居住者の身分で、米国源泉所得だけを課税対象の所得として申告することが可能となります。この条項がなければ、米国の居住者として滞在期間の全世界所得が課税対象となるため、思いもよらない事態となります。

②配当（条約第12条第2項）

　米国の居住者が日本から受け取る配当、または日本の居住者が米国から受け取る配当は、15％の軽減税率の適用を受けるという規定です。それぞれの国内法の規定では、日本20％、米国30％が適用されます。租税条約の恩典を享受した方が税率が低いため、有利なことは明らかです。

③利子（条約第13条第4項）

　米国の居住者が日本から受け取る利子、または日本の居住者が米国から受け取る利子は、10％の軽減税率の適用を受

けるという規定です。前述の配当の項と同様の理由から、租税条約の利用が勧められます。なお、租税条約よりも国内法の規定のほうが有利な場合は、国内法規定を適用できます。例えば、米国の非居住者外国人（日本人）が米国に開設した銀行口座から生じる利子は米国税法上非課税です。また、財務省証券利子、地方債利子も非課税です。租税条約（10％）よりも国内法（非課税）の方が有利となります。

④自由業（条約第17条）

　日本の企業や団体に属さず、独立の資格による米国での人的役務の提供から生じた報酬に対しては、米国滞在が暦年中183日以下であれば、米国における課税は免除されます。また、米国に自分の出張所（恒久的施設）を保有したとしても、それが183日以下であれば、やはり課税は免除されます。

　米国滞在が暦年中183日を超えると免除は受けられず、課税対象となります。出張所（恒久的施設）の保有が183日を超えた場合も、その出先機関に属する報酬が課税対象となります。合計日数が183日を超えても、年をまたがって滞在（または出張所を保有）することによって、各暦年中の日数が183日を超えていない限り、課税対象とならず、両年とも全額免除扱いとなります。

⑤芸能人等（条約第17条第2(c)項）

　俳優、音楽家などの芸能人、プロゴルファー、ボクサーなどの職業運動選手の場合は、米国の滞在期間が暦年中に90日以下であり、所得の合計が年間＄3,000以下である場合に限り、米国での課税は免除されます。滞在日数が90日を超

えた場合、または報酬が＄3,000を超えた場合には、米国で
の課税が生じます。課税対象となる場合、報酬を受け取る時
点で30％の源泉徴収税を差し引かれますが、年明けに確定
申告を行えば、滞在費、宿泊費、食費、旅費、マネジメン
ト・コミッション、雑費などのすべての必要経費の控除が認
められ、通常の個人所得税率（15％から39.6％までの５段階
の累進税率）が適用されて所得税が計算されます。こうして
算出された所得税額は、源泉徴収税額よりも少なくなる可能
性が高く（1999年の独身用の税率によると、課税所得
＄25,750まで15％）、還付されることが十分考えられます。

⑥被雇用者（条約第18条）

　日本の会社の被雇用者として米国に短期滞在し、一定要件
を満たす日本人は、日本の会社からの給与、賞与、手当など、
すべての送金について、米国における課税は免除されます。
一定要件とは、次のとおりです。
　　1．日本の税法上、居住者であること。すなわち、住民票
　　　　上の住所を日本に有すること。
　　2．米国の滞在日数が暦年中に183日以下であること。
　　3．日本法人または外国法人の日本国内支店の被雇用者で
　　　　あること。
　　4．その報酬が米国内にある日本法人の支店によって負担
　　　　されていないこと。
　この条項は、ビザの種類に関係なく、本社に属したままの
長期出張者や研修生、駐在員、事務所に勤務する者などに適
用されます。合計滞在日数が183日を超えても、年をまたが
って滞在することによって各暦年中の日数が183日を超えて
いない限り課税対象とならず、両年とも全額免除扱いになり

ます。上記の租税条約の要件を満たさない限り、通常は非居住者の米国源泉所得に税金が課されます。現地法人または日本法人の米国支店の社員として勤務する者は、たとえ滞在期間が短いために非居住者の身分となっても、当条項の適用は受けられず、日本の会社からの支給額のすべてが課税対象となります。

⑦交換教授・研究者（条約第19条）

教授、研究者は、米国入国後、または学生からの身分変更後の最初の2年間、教育、研究に対する報酬についての米国での課税を免除されます。ただし、次の要件を満たす必要があります。

1. 米国政府または米国の大学などの教育機関の招請によって、教育、研究を行うことを主たる目的として米国内に一時的に滞在すること。
2. 公的な利益のために行われる研究から生じる所得であること。特定の者の私的な利益のために行われる研究から生じる所得ではないこと。

2年を超えた時点で、教授、研究者の報酬は米国において全額が課税対象となります。課税対象となった時点でJビザ、Qビザを保有している場合、米国の税法規定上、非居住者となるため、フォーム1040NRで確定申告を行います。また、Jビザ、Qビザである限りソーシャル・セキュリティ・タックス（FICA）の対象とはなりません。

⑧学生（条約第20条第1項）

米国において専ら教育を受けるために滞在する学生は、米

国到着後 5 年間、米国での課税を免除されます。ただし、滞在の主な目的が、次のいずれかに該当しなければなりません。

1．米国の大学その他の公認された教育機関において勉学を行うこと。

2．職業上の資格または専門家の資格に必要な訓練を受けること。弁護士、公認会計士、医師、建築士などの公認資格を取得するために、学校その他の訓練機関で研修を受ける場合がこれに該当します。

3．政府または宗教、慈善、学術、文芸、教育団体から、奨学金（交付金、手当、奨励金）を受けて、勉学、研究を行うこと。

免除の対象とされる所得は次のとおりです。

1．生計、教育、勉学、研究、訓練のための海外からの送金。

2．奨学金。

3．アルバイト所得は、暦年中 $2,000 まで。

課税対象所得のある学生は、フォーム1040NRで確定申告を行う必要があります。また、F ビザ、M ビザ、J ビザ、Q ビザである限り、ソーシャル・セキュリティ・タックス（FICA）の対象となりません。

なお、1992年以降、F ビザ、M ビザ、J ビザ、Q ビザ保持者は、免税の場合でもその旨の身分情報申告を申告書提出期限日である 4 月15日までに、IRS（内国歳入庁）あてに、所定の様式を使用して行う義務があります。

⑨事業修習生（条約第20条第 2 項）

日本の法人の被雇用者が、事業修習生として米国に滞在して受け取る報酬について、最初の12カ月間に $5,000 まで、

米国における課税は免除されます。

　この場合の修習とは、次を指します。

　1．日本の居住者以外の者から、技術上、職業上または事
　　業上の経験を修得すること。

　2．米国の大学その他の公認された教育機関において勉学
　　を行うこと。

⑩政府主催のプログラムへの参加者
（条約第20条第3項）

　米国政府が主催するプログラムへの参加者として、1年以
下米国に滞在して、訓練、研究または勉学を行う日本人は、
役務所得$10,000まで、米国における課税は免除されます。

⑪退職年金（条約第23条）

　過去の勤務に基づいて支払われる退職年金、および社会保
障年金、過去の勤務に関係なく支払われる生命保険契約に基
づく保険年金を、日本の居住者が米国から受け取る際、米国
の課税は免除されます。逆に米国の居住者が日本から年金を
受け取る際、日本の課税は免除されます。

参考　日米租税条約

第6章
税額控除、税率、申告、その他諸規定

1. 税額控除

　税額控除は、税額を計算した後、税額から差し引く形で控除を受けます。代表例は外国税額控除です。

①外国税額控除

外国税額控除
Foreign Tax
Credit

　既に一度外国で所得税を課された所得を、アメリカで報告することによって、再度アメリカでも課税され、二重課税が生じます。このような場合に、外国税額控除の形で、二重課税の一部または全部の回避が認められています。外国所得税のある納税者は通常、項目別控除または税額控除のいずれかを選択適用します。税額控除を受けるためには、外国源泉所得に諸控除を按分配賦して、控除限度額を計算する必要があります。この詳細計算の順序はいたって煩雑であるため、外国税額控除を含む申告書は専門知識がなければ作成できないというのが現状です。控除限度額以上の金額のため、未使用となった外国税は他の年度へ繰り延べられます。

　97年改正税法は、より多くの納税者が外国税額控除を適用できるように、1998年以降、詳細計算の簡素化を規定しました。すなわち、外国所得税の金額が＄300以下（夫合合算申告は＄600以下）で、かつ外国源泉所得の種類が利子、配当などの投資所得だけの場合に、控除限度額の詳細計算および様式フォーム1116の添付提出をしなくても外国税額控除の適用が認められます。この簡便法の選択をした場合は、

未使用の外国税の当該年度と他の年度との間の繰り延べは認められません。

②扶養税額控除

扶養税額控除 Child Tax Credit

　97年改正税法は、17歳未満の扶養家族一人につき＄500（1998年は＄400）の扶養税額控除を認めることを規定しています。ただし、調整総所得が夫婦合算申告＄110,000、独身＄75,000、夫婦個別申告＄55,000を超えると、超過額＄1,000（またはその端数）ごとに控除額は＄50減額されます。この税額控除は、1998年以降、従来からある「扶養控除」に加えて認められます。扶養税額控除が認められる扶養家族とは、17歳未満の実子、義理の子、養子、孫までです。

③子女世話費税額控除

子女世話費税額控除 Dependent Care Credit

　仕事を持つ独身または共働夫婦が、扶養家族である12歳以下の子供、障害者（配偶者を含む）、または老人などのための世話費（ベビーシッター、保育園、託児所、看護人などの費用）を支払った場合、一定額までの税額控除が認められます。子供が1人の場合は年間世話費上限額＄2,400、2人以上の場合は＄4,800で、所得レベルに応じてその金額の20％ないし30％分が税額控除となります。調整総所得が＄28,000以上の場合、20％が適用となり、子供1人2,400×20％＝＄480、子供2人4,800×20％＝＄960の税額控除となります。夫婦共働きは合算申告をしなければなりません。支払先の氏名（組織名）、住所、ID番号をフォーム2441に報告する義務があります。

④役務所得税額控除

役務所得税額控除
Earned Income
Credit

　低所得者に対して税額控除の形で最高＄3,816（1999年）まで還付される特別措置です。独身の場合、子供がいる場合、既婚者は夫婦合算をする場合で、それぞれ所得レベルが低いことを条件とします。スケジュールEICで計算します。

⑤高齢者・身障者税額控除

高齢者・身障者税
額控除
Tax Credit for
Elderly or
Disabled

　65歳以上の低所得者で、ソーシャル・セキュリティ手当を一定額以下だけしか受けていない場合、または年齢に関係なく身障者で低所得者は、＄750ないし＄1,125の税額控除の適用を受ける特別措置です。スケジュールRで計算します。

⑥教育費税額控除

教育費税額控除
Education Tax
Credit

　97年改正税法によって設けられた教育関連の優遇税制のひとつです。大学授業料などの教育費＄1,500を税額控除とする「HOPE税額控除」という制度と、同じく大学授業料などの教育費の＄1,000（2002年以降は＄2,000）を税額控除とする「生涯学習税額控除」という制度とがあります。1998年以降、適用となります。

⑦養子税額控除

養子税額控除
Adoption Credit

　18歳未満の子供を養子とした時に支出した、養子縁組仲介料、弁護士費用、裁判費用などの養子経費のうち、養子1人＄5,000について税額控除が認められます。知的・身体的障害のある養子の場合は、＄6,000です。満額の税額控除は、調

整総所得が＄75,000以下の場合に受けられます。調整総所得がその額を越えると、税額控除は段階的に減額し、＄115,000を超えると税額控除はゼロとなります。フォーム8839で計算します。

参考　IRC（内国歳入法）Sec. 901 Foreign Tax Credit

　　　IRCSec. 904 (j) Exempt from FTC Limitation

　　　IRC Sec. 24 Child Tax Credit

　　　IRC Sec. 21 Dependent Care Credit

　　　IRC Sec. 32 Earned Income Credit

　　　IRC Sec. 22 Credit for Elderly and Disabled

　　　IRC Sec. 25A Hope and Lifetime Learning Credits

　　　IRC Sec. 23 Adoption Credit

2. 教育関連の優遇税制

　97年改正税法は、新しい形の教育関連の優遇税制を設けました。貯蓄奨励制度、所得調整控除制度、税額控除制度の中に教育費が関わって恩典の適用を受けます。

　97年改正税法は、新しい形の教育関連の優遇税制を設けました。すなわち、①教育IRA、②教育ローン（学生ローン）支払利子控除、③教育費税額控除の3種類の制度です。

①教育IRA

教育IRA
Educational IRA

　教育IRAは、1998年以降に適用となる教育目的の貯蓄奨励制度です。親が金融機関に子供を受益者とする信託口座を開設し、毎年子供1人につき＄500を積み立てていくことができます。通常のIRA（個人退職基金口座）と異なり、拠出額は所得調整控除の対象となりません。毎年加算される利息は非課税です。拠出は子供が18歳に達するまで行うことができます。親が高額所得者の場合は教育IRAへの拠出はできません。＄500満額を拠出できるのは、調整総所得が夫婦合算申告＄150,000以下、独身＄95,000以下の場合で、この金額を超えると拠出限度額は段階的に減額し、夫婦合算申告＄160,000、独身＄110,000に達すると、拠出は認められなくなります。

　教育IRA口座から引き出した資金が受益者の適格教育費に使われている限り、その分配は非課税です。適格教育費とは

大学学部および大学院レベルの授業料、その他の学費、寮費や食費などを含みます。適格教育費に使われない分配金は、利息該当分が課税対象となり、通常の所得税と10％の早期分配税が課せられます。未使用の教育IRA口座残高は、納税者の他の子供の名義にロールオーバー（口座移し替え）をすれば、課税を免れることができます。

②教育ローン支払利子控除

教育ローン
（学生ローン）支
払利子控除
Educational Loan
(Student Loan)
Interest Deduction

　教育ローン（学生ローン）支払利子は、1998年＄1,000、1999年＄1,500、2000年＄2,000、2001年以降　＄2,500について、所得調整控除が認められます。ただし控除ができるのは、利子の支払いが必要とされる最初の５年間分だけです。大学、専門学校、職業訓練機関の授業料、その他の学費、寮費、食費を支払うための学生ローンであればよいことになっています。学生ローン支払利子控除額は、調整総所得が夫婦合算申告＄60,000と＄75,000の間、独身＄40,000と＄55,000の間で段階的消滅の対象となります。

③教育費税額控除

教育費税額控除
Education Tax
Credit

　大学授業料などの教育費について、「HOPE税額控除」または「生涯学習税額控除」のどちらかを選択適用します。前者は、＄1,500、後者は＄1,000（2002年以降は＄2,000）の税額控除額です。教育費税額控除を適用した場合、同時に教育IRAの非課税分配を受けることはできず、教育IRAの分配は課税されます。

　参考　IRA（国内歳入法）Sec. 530 Education IRAs

IRA Sec. 221 Interest on Education Loans

IRA Sec. 25A Hope and Lifetime Learning Credits

3. 家内従業員と源泉徴収

　ベビーシッターやメイド（家政婦）などの家内従業員に賃金給与を支給すると、ソーシャル・セキュリティ・タックス、メディケア・タックス、また場合によっては所得税の源泉徴収義務が生じます。さらに連邦失業保険税の支払義務も生じます。

家内従業員
Household
Employees

　ベビーシッターやメイド（家政婦）などの家内従業員を自宅で雇い、賃金給与として一人に年間＄1,000以上の支給を行った場合、ソーシャル・セキュリティ・タックス（6.2％）およびメディケア・タックス（1.45％）を賃金から天引きの形で源泉徴収する必要があります。

　さらに雇用主負担分として源泉徴収した金額と同額の税金を納税者が受け持ちます。暦年中のいずれかの四半期に＄1,000以上の賃金を支払った場合は、連邦失業保険税（FUTA）の支払義務も生じます。

　雇用主は個人所得税の申告の際、スケジュールH（Household Employment Taxes）に必要事項を記入してフォーム1040（連邦個人所得税確定申告書）に添付し、家内従業員の賃金から源泉徴収した税金と雇用主負担分のソーシャル・セキュリティー・タックス、メディケア・タックス、および連邦失業保険税（FUTA）を雇用主である納税者自身の個人所得税に加えて申告します。

　家内従業員に支払う賃金に対する所得税の源泉徴収につい

ては、家内従業員が雇用主に所得税の源泉徴収を願い出て、雇用主がその要請を受け入れた場合にのみ、雇用主に所得税の源泉徴収義務が生じます。

家内従業員はその際、フォームW-4（Employee's Withholding Allowance Certificate）に独身、既婚の別、扶養家族数、居住地などの必要事項を記入して雇用主に提出します。このフォームの記載内容に基づいて、支給される賃金から差し引く源泉徴収所得税の金額が決まります。

雇用主は源泉徴収を必要とする賃金を支給した場合、年明けにフォームW-2（源泉徴収票）を作成して、家内従業員およびソーシャル・セキュリティー・アドミニストレーション宛に発行しなければなりません。

複数の家内従業員にフォームW-2を発行した場合は、フォームW-3（Transmittal of Wage and Tax Statement）も作成してフォームW-2と共にソーシャル・セキュリティ・アドミニストレーションへ提出する義務があります。

フォームW-2やフォームW-3を作成する場合は、雇用主はEIN番号（連邦雇用者番号）が必要です。これはソーシャル・セキュリティ番号とは別で、IRSから発行される9桁の雇用者の番号です。

雇用主は、雇用する従業員が法律上、米国で働くことができるかどうか確認する必要があります。従業員は米国移民帰化局（INS）のフォームI-9（Employment Eligibility Verification）の従業員部分を記入し、雇用主は従業員が米国市民であるか、または法律上米国で働くことが許された外国人であるかどうかを確認した上で、フォームI-9の雇用主部分を記入し、INSに提出しなければなりません。不法労働者を雇うことは禁じられているので気を付けなければなりません。

　　ベビーシッターの費用は、一定条件を満たすと子女世話費
税額控除が認められます。税額控除の項（109頁）およびフ
ォーム2441参照。

参考　IRC（内国歳入法）Sec. 3121(x) Applicable Dollar Threshold

4. 税　率

　連邦個人所得税の税率は、申告資格に基づく、独身、夫婦合算申告、夫婦個別申告、特定世帯主の4種類の税率表のひとつを適用して、税額を計算します。

申告資格
Filing Status

　連邦個人所得税の税率は、申告上の資格（Filing Status）によって、次の4種類の税率表に分けられます。
　　①独身　　Single
　　②夫婦合算申告　　Joint Return
　　③夫婦個別申告　　Separate Return
　　④特定世帯主　　Head of Household

税率
Tax Rates

　いずれの税率表も、15％、28％、31％、36％、39.6％の5段階の累進税率です。独身者で扶養家族を抱えていない場合は、「独身」の税率表を使います。既婚者は通常、「夫婦合算申告」または「夫婦個別申告」のいずれかを選択できます。大抵の場合、夫婦個別申告よりも税金が少なく計算されるため、夫婦合算申告の方が有利となります。片方の配偶者だけに所得がある場合でも、夫婦合算申告を適用できます。既婚者外国人は、原則として夫婦の両方がアメリカ居住者である場合に夫婦合算申告を適用できます。二重身分または非居住者の場合は、夫婦合算申告の適用は認められず、必ず夫婦個別申告の税率を使って税金を計算しなければなりません。一方の配偶者が居住者であり、他方が非居住者である場合は、選択により他方の配偶者を居住者扱いにして、夫婦合算申告

を適用することも可能です。

　「特定世帯主」は、独身で扶養家族がいる場合に適用する税率表です。子供を抱えた離婚者、未婚の母、父母弟妹を扶養している独身者などが利用し、「独身」用の税率よりも税金が低く計算されて有利な税率表です。

表8　連邦個人所得税率（1999年）

		課　税　所　得		(1)の税額	税率
	(1)		(2)	(3)	(4)
独　身	$ 0	——	$ 25,750	$ 0	15%
	25,750	——	62,450	3,862.50	28
	62,450	——	130,250	14,138.50	31
	130,250	——	283,150	35,156.50	36
	283,150超			90,200.50	39.6
	(1)		(2)	(3)	(4)
夫婦合算申告	$ 0	——	$ 43,050	$ 0	15%
	43,050	——	104,050	6,457.50	28
	104,050	——	158,550	23,537.50	31
	158,550	——	283,150	40,432.50	36
	283,150超			85,288.50	39.6
	(1)		(2)	(3)	(4)
夫婦個別申告	$ 0	——	$ 21,525	$ 0	15%
	21,525	——	52,025	3,228.75	28
	52,025	——	79,275	11,768.75	31
	79,275	——	141,575	20,216.25	36
	141,575超			42,644.25	39.6
	(1)		(2)	(3)	(4)
特定世帯主	$ 0	——	$ 34,550	$ 0	15%
	34,550	——	89,150	5,182.50	28
	89,150	——	144,400	20,470.50	31
	144,400	——	283,150	37,598.00	36
	283,150超			87,548.00	39.6

税額＝(3)＋(課税所得－(1))×(4)

5. 申　告

　申告書は所定の様式を使って記入し、サインをして、日付を入れ4月15日までにIRSへ郵送提出します。提出期限に間に合わない場合は、申請により期限延長もできます。証拠書類は、時効が成立するまで保管しておきます。

①申告書の提出

　連邦個人所得税の基本的な申告書は、フォーム1040ですが、この他にフォーム1040EZ、フォーム1040A、フォーム1040NRがあります。1040EZと1040Aは基本的なフォームである1040のショート・フォーム（簡易様式）です。1040NRは非居住外国人用の様式です。さらに多くのIRS（内国歳入庁）発行の添付フォームやスケジュールがあります。

提出期限
Filing Due Date
　申告書の提出期限は、暦年終了後3.5カ月の4月15日です。提出期限までに申告書にサインをして、日付を入れ、所定のIRS住所あてに、郵便、DHL、Airborne、Fedex、UPSなどで送ります。送付レシートは大切に保管しておく必要があります。それは、申告書が提出期限日にIRSに到着する必要はなく、発送の日付が提出期限日またはその日以前であれば期限内に提出したこととなるためです。後日、IRSから申告書が提出されていないため、または提出が遅れたためという理由でペナルティ・ノーティスが送られてきた時に、送付レシートによりIRS側の誤りを正すことができます。パーソナ

ル・コンピューターによるエレクトロニック・ファイリング
（フォーム1040PC）もあります。

　夫婦合算申告のサインは、夫のものだけではなく、配偶者
の分も必要とします。申告書提出時に追加税金の支払いを必
要とする場合は、IRS宛ての小切手を同封します。小切手に
は必ず納税者のソーシャル・セキュリティ番号を記入します。
税金が過払となる場合は、還付請求するか、または翌年の予
定納税として充当します。還付請求はIRS発行の小切手を直
接送付で受ける方法と、納税者の銀行口座へ振込みを受ける
方法のいずれかを選択できます。

②提出期限の延長

　申告書の作成が提出期限までに間に合わない場合、出張な
どのため申告書にサインができない場合は、申請によって提
出期限の延長をすることができます。延長申告書フォーム
4868に必要事項を記入して、4月15日までにIRSセンターへ
郵送すると、4カ月間、8月15日まで申告書の提出期限の延
長が認められます。申請書に延長の理由を記入しなくてもよ
いため、この4カ月間の延長は自動延長と呼ばれています。
延長申請書にはサインを必要としますが、納税者本人、委任
状による代理人だけではなく、公認会計士、弁護士などのサ
インでも有効です。延長申請書提出時点で最善をつくして税
額を算出して、それまでの源泉徴収と予定納税による納付額
と比べ、不足分を追加税金として延長申請書に小切手を添付
して支払います。実際に申告書を提出する時点で確定申告額
とそれまでの納付額の精算をしますが、不足分があって追加
税金の支払いを必要とする場合は、延滞利息が加算されます。
また、場合によってはペナルティも課されます。利率は、

自動期限延長
Automatic Filing
Extension

IRSが3カ月ごとに公表するものを適用します。例えば、1999年第4四半期のIRS利率は年率9％です。ペナルティは、滞納1カ月につき0.5％、ただし最高25％であり、申告遅延1カ月5％、上限25％です。

追加延長
Additional
Extension

　自動延長申請によって延長された期日8月15日になって、やはりまだ申告書の提出ができないという場合は、追加延長申請書フォーム2688に、延長の理由を記入して提出すると、あと2カ月、10月15日までの追加延長の認可を受けることができます。

③時効

時効
Statute of
Limitation

　時効は、申告書を提出してから3年で成立します。申告書の提出をしなかった年度は、時効は成立せず、何年後でもIRSは追徴税の請求ができます。

修正申告書
Amended Return

　申告書提出後に控除をとり忘れていた場合は、修正申告書を提出して還付金を請求できます。還付請求も時効成立以前に行わなければなりません。実際の所得が申告書上報告した金額よりも25％以上多額の場合には、時効は通常の3年から6年に延びます。時効が成立するということは、成立後はIRSは追徴税を課すことができないことを意味します。

　申告書が税務調査の対象となった場合は、申告内容の挙証責任は納税者側にあるため、IRSが要求する控除項目などの証明を納税者が行う義務があります。証拠書類によって妥当な証明ができない場合は、控除は否認され、追加の税金、延滞利息、そしてペナルティが課されます。税務調査が長びいて、申告書提出の3年以内に調査が終了しない可能性がある場合は、IRS調査官から時効の中断合意書にサインをすることを求められます。申告書の作成に使用した控除などの証拠

書類は、時効が成立するまで大切に保管しておく必要がある
わけです。

6. 非課税贈与・相続

　贈与、相続による生涯財産移転の非課税額は、従来の
＄600,000から、97年改正税法により1998年以降段階的に
増額し、2006年以降＄1,000,000となります。

　贈与および相続による生涯財産移転の非課税額は、従来の
＄600,000から97年改正税法により1998年以降段階的に増額
し、2006年には＄1,000,000（表9参照）となります。
　アメリカの贈与税と遺産税は別個の課税制度ではなく、両
税が連邦統一移転税（Federal Unified Transfer Tax）の一環

連邦統一移転税
Federal Unified
Transfer Tax

表9　生涯財産移転非課税税額

被相続人の死亡年度	非課税贈与・相続額
1997年（従来の規定）	＄ 600,000
1998年（以下97年改正税法）	＄ 625,000
1999年	＄ 650,000
2000年	＄ 675,000
2001年	＄ 675,000
2002年	＄ 700,000
2003年	＄ 700,000
2004年	＄ 850,000
2005年	＄ 950,000
2006年以降	＄ 1,000,000

遺産税
Estate Tax

として存在しています。贈与による財産の移転のたびごとに贈与者が年間贈与税を支払いますが、それはあくまでも遺産税の前払いにすぎず、生前に課税対象となったすべての贈与財産は死亡に際し遺産に加算されて、生涯財産移転額に対する遺産税が計算されます。

そして、過去に納付した贈与税の累積額は税額控除の形で精算されます。この計算過程において生涯財産移転の非課税額の控除（1999年＄650,000、2000年＄675,000）が認められます。

非課税額の＄600,000から＄1,000,000への増額により、贈与税、遺産税を課せられない範囲が広がったわけです。

贈与税
Gift Tax

アメリカ国籍を有する配偶者間の財産移転は、贈与税も遺産税も一切かかりません。受贈者が配偶者以外、たとえば子、孫、甥、姪、友人などの場合は、贈与相手一人につき＄10,000が年間無税贈与額です。

贈与を受ける配偶者がアメリカ国籍以外の外国人、たとえばグリーンカードその他のビザを保持する居住者である場合、年間無税贈与額は＄100,000です。

1999年＄650,000（2006年＄1,000,000）の生涯財産移転の非課税額は、米国籍の配偶者への無制限の贈与および相続、グリーンカードその他のビザを保持する配偶者への年間＄100,000の無税贈与、および配偶者以下の子や孫などの贈与相手一人につき年間＄10,000の無税贈与の他に、死亡の際の遺産税の計算上認められ、遺した財産の価値が＄650,000（2006年以降＄1,000,000）以下であれば連邦遺産税はゼロという意味です。

例（1）2000年A氏が亡くなり米国市民である妻が、遺産のすべて（＄1,000,000）を相続した。相続人である配偶者にアメリカ国籍があるため、連邦遺産税は相続財産の金額にかか

わりなく課せられない。ただし、州の遺産税または相続税の課税は生じることがある。

例（2）2000年、米国市民B氏が亡くなり、日本人で永住権保持者の妻が、遺産のすべて（＄1,000,000）を相続した。B氏生存中に課税対象の贈与はなかった。相続人である配偶者が米国市民でないため、＄1,000,000の遺産のうち2000年度の金額である＄675,000だけが非課税、差額の＄325,000は連邦遺産税の対象となる。相続人が配偶者のほかに、たとえば子供が2人いたとしても、＄675,000の非課税額、＄325,000課税対象額および連邦遺産税は同じ。死亡年度によって非課税額が異なり、2006年以降、＄1,000,000分を無税で相続できる。

なお、贈与相手一人につき＄10,000の年間無税贈与額は、改正税法により1999年以降、消費者物価指数に基づくインフレ調整が施されます。

参考　IRC(内国歳入法)Sec. 2010 Unified Credit against Estate Tax
　　　IRC Sec. 2503(b) Exclusion from Gifts

7. 州の所得税

　個人所得税は、連邦政府IRSだけでなく、州政府や一部の市政府や郡政府によっても課せられます。

　個人所得税は連邦政府だけでなく、州政府や一部の市政府や郡政府によっても課せられます。連邦税率は15％、28％、31％、36％、36.9％の5段階ですが、州の税率は表10のとおり、それぞれ連邦税率よりもかなり低くなっています。

　アラスカ、フロリダ、ネバダ、サウスダコタ、テキサス、ワシントン、ワイオミングの7州には個人所得税制がありません。ニューハンプシャー、テネシーの2州は、利子、配当、不動産や株式のキャピタル・ゲインなどの投資所得だけが課税対象となります。その他のすべての州41州とワシントンDCには連邦個人所得税に類似した税制、すなわち給与その他の役務所得、利子、配当、賃貸所得、譲渡益等の投資所得など年間のあらゆる所得が課税対象となり、各種控除が認められて課税所得と税額を算出するという方法による税金の制度があります。

　市税、郡税については、必ずどこの市や郡でも税金が課せられるというわけではなく、ある限られた市や郡だけに個人所得税制があります。ニューヨーク州のニューヨーク市、ヨンカース市の2市、オハイオ州のシンシナティ、クリーブランド、トレド等の8市、ペンシルベニア州のフィラデルフィア、ピッツバーグ等の3市がその例です。

連邦税の場合と同様、各州が給与から源泉徴収税によって、そして自由業の所得に対して予定納税によって、税金をあらかじめ納付しておいて、一年に一度確定申告を行うことによって精算をするという制度を採っています。前述の通り、課税対象となる所得は、おおむね連邦税法上の課税対象所得と同じと考えてよいでしょう。

　スタンダード・ディダクション（概算額控除）、アイテマイズド・ディダクション（項目別控除）、パーソナル・イグゼンプション（人的控除、配偶者控除、扶養控除）は、通常、金額的に連邦税のものとは異なります。

　確定申告書の提出期限は、ほとんどの州が連邦税と同じ4月15日ですが、ハワイの4月20日、バージニアの5月1日というように異なる提出期限を設けている州も6州あります。州の居住者・非居住者の定義は連邦税法上の定義とは異なります。連邦税法上、居住外国人となっても、州税法上も居住者になるとは限らないことに注意して下さい。

表10　州所得税税率一覧表（1999年）

州	税　率	州	税　率
アラバマ	2%～5%	モンタナ	2%～11%
アラスカ	なし	ネブラスカ	2.5%～6.95%
アリゾナ	2.88%～5.1%	ネバダ	なし
アーカンソー	1%～7%	ニューハンプシャー	5%①
カリフォルニア	1%～9.3%	ニュージャージー	1.4%～6.37%
コロラド	5%	ニューメキシコ	1.7%～8.2%
コネチカット	3%～4.5%	ニューヨーク	4%～6.85%
デラウェア	1%～6.9%	ニューヨーク市	3.08%～4.46%
首都ワシントン	6%～9.5%	ヨンカース市	NY州税率の15%
フロリダ	なし	ノースカロライナ	6%～7.75%
ジョージア	1%～6%	ノースダコタ	2.67%～12%②
ハワイ	2%～10%	オハイオ	0.673%～6.799%
アイダホ	2%～8.2%	オクラホマ	0.5%～7%
イリノイ	3%	オレゴン	5%～9%
インディアナ	3.4%	ペンシルベニア	2.8%
アイオワ	0.36%～8.98%	ロードアイランド	連邦税の27.5%
カンサス	3.5%～6.45%	サウスカロライナ	2.5%～7%
ケンタッキー	2%～6%	サウスダコタ	なし
ルイジアナ	2%～6%	テネシー	6%①
メイン	2%～8.5%	テキサス	なし
メリーランド	2%～4.875%	ユタ	2.3%～7%
マサチューセッツ	5.95%～12%	バーモント	連邦税の25%
ミシガン	4.4%	バージニア	2%～5.75%
ミネソタ	6%～8.5%	ワシントン州	なし
ミシシッピー	3%～5%	ウエストバージニア	3%～6.5%
ミズーリ	1.5%～6%	ウィスコンシン	4.85%～6.87%
		ワイオミング	なし

①ニューハンプシャー、テネシーの2州は、利子・配当、キャピタル・ゲインのみが課税対象となる。

②ノースダコタ州は選択により連邦税の14%とすることも可。

8.代替ミニマム税・予備源泉徴収税

　所得税軽減の優遇措置に対して課される税金として代替ミニマム税（Alternative Minimum Tax）があります。納税者番号を届けずに受け取る所得に対して、31％の予備源泉徴収税（Backup Withholding）が差し引かれます。

①代替ミニマム税（Alternative Minimum Tax）

代替ミニマム税
Alternative
Minimum Tax

　項目別控除、外国税額控除、加速度原価回収制度（ACRS/MACRS）、免税債などの恩典を受けることにより、通常の所得税の軽減が達成されます。これらの所得税軽減の優遇措置に対して課される税金が代替ミニマム税（Alternative Minimum Tax）です。税率は26％、28％の2段階で、フォーム6521様式で計算して、申告書に添付提出します。通常の課税所得に優遇措置を加えた金額が、次のAMT控除額を超えると代替ミニマム税が発生します。

AMT控除額	独身、特定世帯主	＄33,750
	夫婦合算申告	＄45,000
	夫婦個別申告	＄22,500

②予備源泉徴収税（Backup Withholding）

予備源泉徴収税
Backup
Withholding

　預金口座を開設している銀行、投資勘定のある金融機関に納税者番号（ソーシャル・セキュリティ番号、連邦雇用主番

号）を届けなかった場合、間違った納税者番号を届けた場合、または未報告の利子・配当がある旨のIRSからの通知に応答せずに無視した場合に、銀行・金融機関は利子、配当から31％の予備源泉徴収税を差し引いて、IRSへ納付する義務があります。予備源泉徴収税は、独立請負人として関与先から受け取る報酬、証券会社や関連代理業者から支払われる株・証券などの譲渡金額、宝くじ、競馬、ギャンブル等の賞金受け取りに関して、納税者番号の届出がない場合にも適用されます。

　予備源泉徴収税は、予定納税と同等の扱いとなります。予備源泉徴収税がある場合は、確定申告所フォーム1040（または1040NR）にフォーム1099を添付提出して、税金の精算をすることにより還付されます。

Form 1040

Department of the Treasury—Internal Revenue Service

U.S. Individual Income Tax Return **1999** (99) IRS Use Only—Do not write or staple in this space.

For the year Jan. 1–Dec. 31, 1999, or other tax year beginning , 1999, ending . | OMB No. 1545-0074

Label

(See instructions on page 18.)

Use the IRS label. Otherwise, please print or type.

L A B E L / H E R E

| Your first name and initial | Last name | Your social security number |
| If a joint return, spouse's first name and initial | Last name | Spouse's social security number |

Home address (number and street). If you have a P.O. box, see page 18. | Apt. no.

City, town or post office, state, and ZIP code. If you have a foreign address, see page 18.

▲ **IMPORTANT!** ▲
You **must** enter your SSN(s) above.

Presidential Election Campaign
(See page 18.)

| | Yes | No | Note: Checking "Yes" will not change your tax or reduce your refund. |

Do you want $3 to go to this fund? . . . .
If a joint return, does your spouse want $3 to go to this fund? . . . .

Filing Status

Check only one box.

1 ☐ Single
2 ☐ Married filing joint return (even if only one had income)
3 ☐ Married filing separate return. Enter spouse's social security no. above and full name here. ▶ _____
4 ☐ Head of household (with qualifying person). (See page 18.) If the qualifying person is a child but not your dependent, enter this child's name here. ▶ _____
5 ☐ Qualifying widow(er) with dependent child (year spouse died ▶ 19). (See page 18.)

Exemptions

6a ☐ **Yourself.** If your parent (or someone else) can claim you as a dependent on his or her tax return, **do not** check box 6a. . . . .

b ☐ **Spouse** . . . .

c **Dependents:**

(1) First name Last name	(2) Dependent's social security number	(3) Dependent's relationship to you	(4)✓ if qualifying child for child tax credit (see page 19)
			☐
			☐
			☐
			☐
			☐
			☐

If more than six dependents, see page 19.

No. of boxes checked on 6a and 6b ___
No. of your children on 6c who:
• lived with you ___
• did not live with you due to divorce or separation (see page 19) ___
Dependents on 6c not entered above ___
Add numbers entered on lines above ▶ ☐

d Total number of exemptions claimed . . . .

Income

Attach Copy B of your Forms W-2 and W-2G here. Also attach Form 1099-R if tax was withheld.

If you did not get a W-2, see page 20.

Enclose, but do not staple, any payment. Also, please use Form 1040-V.

7 Wages, salaries, tips, etc. Attach Form(s) W-2 . . . . | 7
8a **Taxable interest.** Attach Schedule B if required . . . . | 8a
b Tax-exempt interest. DO NOT include on line 8a. . . . | 8b |
9 Ordinary dividends. Attach Schedule B if required . . . . | 9
10 Taxable refunds, credits, or offsets of state and local income taxes (see page 21) . . | 10
11 Alimony received . . . . | 11
12 Business income or (loss). Attach Schedule C or C-EZ . . . . | 12
13 Capital gain or (loss). Attach Schedule D if required. If not required, check here ▶ ☐ | 13
14 Other gains or (losses). Attach Form 4797 . . . . | 14
15a Total IRA distributions . | 15a | b Taxable amount (see page 22) | 15b
16a Total pensions and annuities | 16a | b Taxable amount (see page 22) | 16b
17 Rental real estate, royalties, partnerships, S corporations, trusts, etc. Attach Schedule E | 17
18 Farm income or (loss). Attach Schedule F . . . . | 18
19 Unemployment compensation . . . . | 19
20a Social security benefits . | 20a | b Taxable amount (see page 24) | 20b
21 Other income. List type and amount (see page 24) .... | 21
22 Add the amounts in the far right column for lines 7 through 21. This is your **total income** ▶ | 22

Adjusted Gross Income

23 IRA deduction (see page 25) . . . . | 23
24 Student loan interest deduction (see page 27) . . . | 24
25 Medical savings account deduction. Attach Form 8853 . | 25
26 Moving expenses. Attach Form 3903 . . . . . | 26
27 One-half of self-employment tax. Attach Schedule SE . | 27
28 Self-employed health insurance deduction (see page 28) . | 28
29 Keogh and self-employed SEP and SIMPLE plans . . | 29
30 Penalty on early withdrawal of savings . . . . . | 30
31a Alimony paid b Recipient's SSN ▶ | 31a
32 Add lines 23 through 31a . . . . | 32
33 Subtract line 32 from line 22. This is your **adjusted gross income** . . . . . ▶ | 33

For Disclosure, Privacy Act, and Paperwork Reduction Act Notice, see page 51. | Cat. No. 11320B | Form **1040** (1999)

Form 1040 U.S. Individual Income Tax Return (page 1)

Form 1040 (1999)　　　　　　　　　　　　　　　　　　　　　　　　　　　　Page **2**

Tax and Credits	34	Amount from line 33 (adjusted gross income)	34
	35a	Check if: ☐ You were 65 or older, ☐ Blind; ☐ Spouse was 65 or older, ☐ Blind. Add the number of boxes checked above and enter the total here ▸ 35a	
Standard Deduction for Most People	b	If you are married filing separately and your spouse itemizes deductions or you were a dual-status alien, see page 29 and check here . . . . ▸ 35b ☐	
	36	Enter the **larger** of your **itemized deductions** from Schedule A, line 28, **OR standard deduction** shown on the left. **But** see page 30 to find your standard deduction if you checked any box on line 35a or 35b **or** if someone can claim you as a dependent . . .	36
Single: $4,300	37	Subtract line 36 from line 34	37
Head of household: $6,350	38	If line 34 is $94,975 or less, multiply $2,750 by the total number of exemptions claimed on line 6d. If line 34 is over $94,975, see the worksheet on page 30 for the amount to enter .	38
Married filing jointly or Qualifying widow(er): $7,200	39	**Taxable income.** Subtract line 38 from line 37. If line 38 is more than line 37, enter -0-	39
	40	**Tax.** (see page 30). Check if any tax is from a ☐ Form(s) 8814　b ☐ Form 4972　. ▸	40
Married filing separately: $3,600	41	Credit for child and dependent care expenses. Attach Form 2441	41	
	42	Credit for the elderly or the disabled. Attach Schedule R . .	42	
	43	Child tax credit (see page 31)	43	
	44	Education credits. Attach Form 8863	44	
	45	Adoption credit. Attach Form 8839	45	
	46	Foreign tax credit. Attach Form 1116 if required	46	
	47	Other. Check if from a ☐ Form 3800　b ☐ Form 8396 c ☐ Form 8801　d ☐ Form (specify)_____	47	
	48	Add lines 41 through 47. These are your **total credits**	48
	49	Subtract line 48 from line 40. If line 48 is more than line 40, enter -0- . . . . . ▸	49
Other Taxes	50	Self-employment tax. Attach Schedule SE	50
	51	Alternative minimum tax. Attach Form 6251	51
	52	Social security and Medicare tax on tip income not reported to employer. Attach Form 4137	52
	53	Tax on IRAs, other retirement plans, and MSAs. Attach Form 5329 if required . . .	53
	54	Advance earned income credit payments from Form(s) W-2	54
	55	Household employment taxes. Attach Schedule H	55
	56	Add lines 49 through 55. This is your **total tax** . . . . ▸	56
Payments	57	Federal income tax withheld from Forms W-2 and 1099 . .	57	
	58	1999 estimated tax payments and amount applied from 1998 return .	58	
	59a	**Earned income credit.** Attach Schedule EIC if you have a qualifying child b Nontaxable earned income: amount ▸ [____] and type ▸	59a	
	60	Additional child tax credit. Attach Form 8812	60	
	61	Amount paid with Form 4868 (request for extension) . . .	61	
	62	Excess social security and RRTA tax withheld (see page 43)	62	
	63	Other payments. Check if from a ☐ Form 2439 b ☐ Form 4136	63	
	64	Add lines 57, 58, 59a, and 60 through 63. These are your **total payments** . . . . ▸	64
Refund	65	If line 64 is more than line 56, subtract line 56 from line 64. This is the amount you **OVERPAID**	65
Have it directly deposited! See page 44 and fill in 66b, 66c, and 66d.	66a	Amount of line 65 you want **REFUNDED TO YOU** . . . . ▸	66a
	▸ b	Routing number [ ][ ][ ][ ][ ][ ][ ][ ][ ] ▸ c Type: ☐ Checking ☐ Savings	
	▸ d	Account number [ ][ ][ ][ ][ ][ ][ ][ ][ ][ ][ ][ ][ ][ ][ ][ ][ ]	
	67	Amount of line 65 you want APPLIED TO YOUR 2000 ESTIMATED TAX ▸	67	
Amount You Owe	68	If line 55 is more than line 64, subtract line 64 from line 56. This is the **AMOUNT YOU OWE.** For details on how to pay, see page 44 . . . . ▸	68
	69	Estimated tax penalty. Also include on line 68	69	

Sign Here

Under penalties of perjury, I declare that I have examined this return and accompanying schedules and statements, and to the best of my knowledge and belief, they are true, correct, and complete. Declaration of preparer (other than taxpayer) is based on all information of which preparer has any knowledge.

Joint return? See page 18. Keep a copy for your records.

Your signature	Date	Your occupation	Daytime telephone number (optional) ( )
Spouse's signature. If a joint return, BOTH must sign.	Date	Spouse's occupation	

Paid Preparer's Use Only

Preparer's signature	Date	Check if self-employed ☐	Preparer's SSN or PTIN
Firm's name (or yours if self-employed) and address			EIN / ZIP code

Form 1040 U.S. Individual Income Tax Return (page2)

Schedule A—Itemized Deductions

(Schedule B is on back)

► **Attach to Form 1040.** ► **See Instructions for Schedules A and B (Form 1040).**

OMB No. 1545-0074

1999

Attachment
Sequence No. **07**

Name(s) shown on Form 1040

Your social security number

Medical and Dental Expenses		**Caution:** *Do not include expenses reimbursed or paid by others.*			
	1	Medical and dental expenses (see page A-1)	1		
	2	Enter amount from Form 1040, line 34 . ⌊ **2** ⌋			
	3	Multiply line 2 above by 7.5% (.075)	3		
	4	Subtract line 3 from line 1. If line 3 is more than line 1, enter -0-		4	
Taxes You Paid (See page A-2.)	5	State and local income taxes	5		
	6	Real estate taxes (see page A-2)	6		
	7	Personal property taxes	7		
	8	Other taxes. List type and amount ►			
			8		
	9	Add lines 5 through 8		9	
Interest You Paid (See page A-3.)	10	Home mortgage interest and points reported to you on Form 1098	10		
	11	Home mortgage interest not reported to you on Form 1098. If paid to the person from whom you bought the home, see page A-3 and show that person's name, identifying no., and address ►			
Note: Personal interest is not deductible.		....	11		
	12	Points not reported to you on Form 1098. See page A-3 for special rules	12		
	13	Investment interest. Attach Form 4952 if required. (See page A-3.)	13		
	14	Add lines 10 through 13		14	
Gifts to Charity If you made a gift and got a benefit for it, see page A-4.	15	Gifts by cash or check. If you made any gift of $250 or more, see page A-4	15		
	16	Other than by cash or check. If any gift of $250 or more, see page A-4. You **MUST** attach Form 8283 if over $500	16		
	17	Carryover from prior year	17		
	18	Add lines 15 through 17		18	
Casualty and Theft Losses	19	Casualty or theft loss(es). Attach Form 4684. (See page A-5.)		19	
Job Expenses and Most Other Miscellaneous Deductions (See page A-6 for expenses to deduct here.)	20	Unreimbursed employee expenses—job travel, union dues, job education, etc. You **MUST** attach Form 2106 or 2106-EZ if required. (See page A-5.) ►	20		
	21	Tax preparation fees	21		
	22	Other expenses—investment, safe deposit box, etc. List type and amount ►.............................	22		
	23	Add lines 20 trough 22	23		
	24	Enter amount from Form 1040, line 34 . ⌊ **24** ⌋			
	25	Multiply line 24 above by 2% (.02)	25		
	26	Subtract line 25 from line 23. If line 25 is more than line 23, enter -0-		26	
Other Miscellaneous Deductions	27	Other—from list on page A-6. List type and amount ►			
				27	
Total Itemized Deductions	28	Is Form 1040, line 34, over $126,600 (over $63,300 if married filing separately)? ☐ **No.** Your deduction is not limited. Add the amounts in the far right column for lines 4 through 27. Also, enter on Form 1040, line 36, the **larger** of this amount or your standard deduction. ☐ **Yes.** Your deduction may be limited. See page A-6 for the amount to enter.	►	28	

For Paperwork Reduction Act Notice, see Form 1040 instructions.   Cat. No. 11330X   Schedule A (Form 1040) 1999

Schedule A-Itemized Deductions

OMB No. 1545-0074   Page **2**

Name(s) shown on Form 1040. Do not enter name and social security number if shown on other side.

Your social security number

Schedule B—Interest and Ordinary Dividends

Attachment Sequence No. **08**

Note: *If you had over $400 in taxable interest income, you must also complete Part III.*

Part I
Interest

(See pages 20 and B-1.)

Note: If you received a Form 1099-INT, Form 1099-OID, or substitute statement from a brokerage firm, list the firm's name as the payer and enter the total interest shown on that form.

1   List name of payer. If any interest is from a seller-financed mortgage and the buyer used the property as a personal residence, see page B-1 and list this interest first. Also, show that buyer's social security number and address ▶

	Amount
1	

2   Add the amounts on line 1 . . . . | **2** |
3   Excludable interest on series EE or I U.S. savings bonds issued after 1989 from Form 8815, line 14. You MUST attach Form 8815 to Form 1040 . . . . | **3** |
4   Subtract line 3 from line 2. Enter the result here and on Form 1040, line 8a ▶ | **4** |

Note: *If you had over $400 in ordinary dividends, you must also complete Part III.*

Part II
Ordinary Dividends

(See pages 21 and B-1.)

Note: If you received a Form 1099-DIV or substitute statement from a brokerage firm, list the firm's name as the payer and enter the ordinary dividends shown on that form.

5   List name of payer. Include only ordinary dividends. If you received any capital gain distributions, see the instructions for Form 1040, line 13. ▶

	Amount
5	

6   Add the amounts on line 5. Enter the total here and on Form 1040, line 9 . ▶ | **6** |

Part III
Foreign Accounts and Trusts

(See page B-2.)

You must complete this part if you **(a)** had over $400 of interest or ordinary dividends; **(b)** had a foreign account; or **(c)** received a distribution from, or were a grantor of, or a transferor to, a foreign trust.

	Yes	No
7a At any time during 1999, did you have an interest in or a signature or other authority over a financial account in a foreign country, such as a bank account, securities account, or other financial account? See page B-2 for exceptions and filing requirements for Form TD F 90-22.1		
b If "Yes," enter the name of the foreign country ▶		
8 During 1999, did you receive a distribution from, or were you the grantor of, or transferor to, a foreign trust? If "Yes," you may have to file Form 3520. See page B-2		

For Paperwork Reduction Act Notice, see Form 1040 instructions.   Schedule B (Form 1040) 1999

696

Schedule B-Interest and Dividend Income

SCHEDULE C
(Form 1040)

Department of the Treasury
Internal Revenue Service (99)

Profit or Loss From Business
(Sole Proprietorship)

▶ Partnerships, joint ventures, etc., must file Form 1065 or Form 1065-B.

▶ Attach to Form 1040 or Form 1041.   ▶ See Instructions for Schedule C (Form 1040).

OMB No. 1545-0074

1999

Attachment
Sequence No. **09**

Name of proprietor | Social security number (SSN)

A Principal business or profession, including product or service (see page C-1) | **B** Enter code from pages C-8 & 9 ▶

C Business name. If no separate business name, leave blank. | **D** Employer ID number (EIN), if any

E Business address (including suite or room no.) ▶ ....
City, town or post office, state, and ZIP code

F Accounting method: **(1)** ☐ Cash **(2)** ☐ Accrual **(3)** ☐ Other (specify) ▶ ....

G Did you "materially participate" in the operation of this business during 1999? If "No," see page C-2 for limit on losses ☐ Yes ☐ No

H If you started or acquired this business during 1999, check here . . . . ▶ ☐

Part I Income

1	Gross receipts or sales. **Caution:** *If this income was reported to you on Form W-2 and the "Statutory employee" box on that form was checked, see page C-3 and check here* . . . . . . ▶ ☐	1
2	Returns and allowances	2
3	Subtract line 2 from line 1	3
4	Cost of goods sold (from line 42 on page 2)	4
5	**Gross profit.** Subtract line 4 from line 3	5
6	Other income, including Federal and state gasoline or fuel tax credit or refund (see page C-3) . . .	6
7	**Gross income.** Add lines 5 and 6 . . . . ▶	7

Part II Expenses. Enter expenses for business use of your home **only** on line 30.

8	Advertising	8	19 Pension and profit-sharing plans	19
9	Bad debts from sales or services (see page C-3) . .	9	20 Rent or lease (see page C-5):	
			a Vehicles, machinery, and equipment .	20a
10	Car and truck expenses (see page C-3) . . .	10	b Other business property . .	20b
11	Commissions and fees . .	11	21 Repairs and maintenance . .	21
12	Depletion	12	22 Supplies (not included in Part III) .	22
13	Depreciation and section 179 expense deduction (not included in Part III) (see page C-4) . .	13	23 Taxes and licenses . . .	23
			24 Travel, meals, and entertainment:	
			a Travel	24a
14	Employee benefit programs (other than on line 19) . .	14	b Meals and entertainment .	
15	Insurance (other than health) .	15	c Enter 50% of line 24b subject to limitations (see page C-6) .	
16	Interest:			
a	Mortgage (paid to banks, etc.) .	16a	d Subtract line 24c from line 24b	24d
b	Other	16b	25 Utilities	25
17	Legal and professional services	17	26 Wages (less employment credits) .	26
18	Office expense	18	27 Other expenses (from line 48 on page 2)	27

28	**Total expenses** before expenses for business use of home. Add lines 8 through 27 in columns . ▶	28
29	Tentative profit (loss). Subtract line 28 from line 7	29
30	Expenses for business use of your home. Attach **Form 8829**	30
31	**Net profit or (loss).** Subtract line 30 from line 29. • If a profit, enter on **Form 1040, line 12**, and ALSO on **Schedule SE, line 2** (statutory employees, see page C-6). Estates and trusts, enter on Form 1041, line 3. • If a loss, you MUST go on to line 32.	31
32	If you have a loss, check the box that describes your investment in this activity (see page C-6). • If you checked 32a, enter the loss on **Form 1040, line 12**, and ALSO on **Schedule SE, line 2** (statutory employees, see page C-6). Estates and trusts, enter on Form 1041, line 3. • If you checked 32b, you MUST attach **Form 6198.**	32a ☐ All investment is at risk. 32b ☐ Some investment is not at risk.

For Paperwork Reduction Act Notice, see Form 1040 instructions.   Cat. No. 11334P   Schedule C (Form 1040) 1999

697

Schedule C-Profit or Loss From Business

SCHEDULE E
(Form 1040)

Department of the Treasury
Internal Revenue Service (99)

Supplemental Income and Loss
(From rental real estate, royalties, partnerships,
S corporations, estates, trusts, REMICs, etc.)
▶ Attach to Form 1040 or Form 1041.   ▶ See Instructions for Schedule E (Form 1040).

OMB No. 1545-0074

1999

Attachment
Sequence No. **13**

Name(s) shown on return

Your social security number

Part I	**Income or Loss From Rental Real Estate and Royalties** Note: *Report income and expenses from your business of renting personal property on **Schedule C** or **C-EZ** (see page E-1). Report farm rental income or loss from **Form 4835** on page 2, line 39.*

1 Show the kind and location of each **rental real estate property:**

A ....

B ....

C ....

2 For each rental real estate property listed on line 1, did you or your family use it during the tax year for personal purposes for more than the greater of:
- 14 days, **or**
- 10% of the total days rented at fair rental value?
(See page E-1.)

	Yes	No
A		
B		
C		

Income:

			Properties			Totals (Add columns A, B, and C)	
			A	B	C		
3 Rents received.	3					3	
4 Royalties received	4					4	

Expenses:

5 Advertising	5						
6 Auto and travel (see page E-2) .	6						
7 Cleaning and maintenance . . .	7						
8 Commissions	8						
9 Insurance	9						
10 Legal and other professional fees	10						
11 Management fees.	11						
12 Mortgage interest paid to banks, etc. (see page E-2)	12					12	
13 Other interest	13						
14 Repairs	14						
15 Supplies	15						
16 Taxes	16						
17 Utilities	17						
18 Other (list) ▶	18						
19 Add lines 5 through 18	19					19	
20 Depreciation expense or depletion (see page E-3)	20					20	
21 Total expenses. Add lines 19 and 20	21						
22 Income or (loss) from rental real estate or royalty properties. Subtract line 21 from line 3 (rents) or line 4 (royalties). If the result is a (loss), see page E-3 to find out if you must file **Form 6198**. . .	22						
23 Deductible rental real estate loss. **Caution:** *Your rental real estate loss on line 22 may be limited. See page E-3 to find out if you must file **Form 8582**. Real estate professionals must complete line 42 on page 2*	23	(	)(	)(	)		
24 **Income.** Add positive amounts shown on line 22. **Do not** include any losses						24	
25 **Losses.** Add royalty losses from line 22 and rental real estate losses from line 23. Enter total losses here						25	( )
26 Total rental real estate and royalty income or (loss). Combine lines 24 and 25. Enter the result here. If Parts II, III, IV, and line 39 on page 2 do not apply to you, also enter this amount on Form 1040, line 17. Otherwise, include this amount in the total on line 40 on page 2						26	

For Paperwork Reduction Act Notice, see Form 1040 instructions.   Cat. No. 11344L   **Schedule E (Form 1040) 1999**

Schedule E-Supplemental Income and Loss (page1)

Name(s) shown on return. Do not enter name and social security number if shown on other side. | **Your social security number**

Note: *If you report amounts from farming or fishing on Schedule E, you must enter your gross income from those activities on line 41 below. Real estate professionals must complete line 42 below.*

Part II — Income or Loss From Partnerships and S Corporations
Note: *If you report a loss from an at-risk activity, you MUST check either column (e) or (f) on line 27 to describe your investment in the activity. See page E-5. If you check column (f), you must attach Form 6198.*

27	(a) Name	(b) Enter **P** for partnership; **S** for S corporation	(c) Check if foreign partnership	(d) Employer identification number	Investment At Risk? (e) All is at risk	(f) Some is not at risk
A						
B						
C						
D						
E						

Passive Income and Loss		Nonpassive Income and Loss		
(g) Passive loss allowed (attach **Form 8582** if required)	(h) Passive income from **Schedule K-1**	(i) Nonpassive loss from **Schedule K-1**	(j) Section 179 expense deduction from **Form 4562**	(k) Nonpassive income from **Schedule K-1**
A				
B				
C				
D				
E				
28a Totals				
b Totals				

29	Add columns (h) and (k) of line 28a	29	
30	Add columns (g), (i), and (j) of line 28b	30	( )
31	Total partnership and S corporation income or (loss). Combine lines 29 and 30. Enter the result here and include in the total on line 40 below	31	

Part III — Income or Loss From Estates and Trusts

32	(a) Name	(b) Employer identification number
A		
B		

Passive Income and Loss		Nonpassive Income and Loss	
(c) Passive deduction or loss allowed (attach **Form 8582** if required)	(d) Passive income from **Schedule K-1**	(e) Deduction or loss from **Schedule K-1**	(f) Other income from **Schedule K-1**
A			
B			
33a Totals			
b Totals			

34	Add columns (d) and (f) of line 33a	34	
35	Add columns (c) and (e) of line 33b	35	( )
36	Total estate and trust income or (loss). Combine lines 34 and 35. Enter the result here and include in the total on line 40 below	36	

Part IV — Income or Loss From Real Estate Mortgage Investment Conduits (REMICs)—Residual Holder

37	(a) Name	(b) Employer identification number	(c) Excess inclusion from **Schedules Q,** line 2c (see page E-6)	(d) Taxable income (net loss) from **Schedules Q,** line 1b	(e) Income from **Schedules Q,** line 3b

| 38 | Combine columns (d) and (e) only. Enter the result here and include in the total on line 40 below | 38 | |

Part V — Summary

| 39 | Net farm rental income or (loss) from **Form 4835**. Also, complete line 41 below . . . . . | 39 | |
| 40 | TOTAL income or (loss). Combine lines 26, 31, 36, 38, and 39. Enter the result here and on Form 1040, line 17 ▶ | 40 | |

| 41 | **Reconciliation of Farming and Fishing Income.** Enter your **gross** farming and fishing income reported on Form 4835, line 7; Schedule K-1 (Form 1065), line 15b; Schedule K-1 (Form 1120S), line 23; and Schedule K-1 (Form 1041), line 14 (see page E-6) . . . . | 41 | |
| 42 | **Reconciliation for Real Estate Professionals.** If you were a real estate professional (see page E-4), enter the net income or (loss) you reported anywhere on Form 1040 from all rental real estate activities in which you materially participated under the passive activity loss rules . . . | 42 | |

⊛

Schedule E-Supplemental Income and Loss (page2)

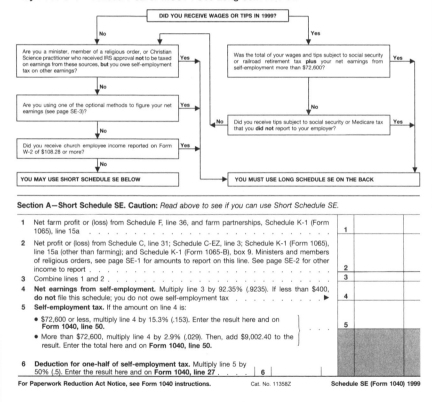

SCHEDULE SE
(Form 1040)

Department of the Treasury
Internal Revenue Service   (99)

Self-Employment Tax

▶ See Instructions for Schedule SE (Form 1040).

▶ Attach to Form 1040.

OMB No. 1545-0074

1999

Attachment
Sequence No. **17**

Name of person with **self-employment** income (as shown on Form 1040)

Social security number of person
with **self-employment** income ▶

Who Must File Schedule SE

You must file Schedule SE if:

● You had net earnings from self-employment from **other than** church employee income (line 4 of Short Schedule SE or line 4c of Long Schedule SE) of $400 or more, **OR**

● You had church employee income of $108.28 or more. Income from services you performed as a minister or a member of a religious order **is not** church employee income. See page SE-1.

Note: *Even if you had a loss or a small amount of income from self-employment, it may be to your benefit to file Schedule SE and use either "optional method" in Part II of Long Schedule SE. See page SE-3.*

Exception. If your only self-employment income was from earnings as a minister, member of a religious order, or Christian Science practitioner **and** you filed Form 4361 and received IRS approval not to be taxed on those earnings, **do not** file Schedule SE. Instead, write "Exempt–Form 4361" on Form 1040, line 50.

May I Use Short Schedule SE or MUST I Use Long Schedule SE?

DID YOU RECEIVE WAGES OR TIPS IN 1999?

No

Yes

Are you a minister, member of a religious order, or Christian Science practitioner who received IRS approval **not** to be taxed on earnings from these sources, **but** you owe self-employment tax on other earnings?

Yes →

Was the total of your wages and tips subject to social security or railroad retirement tax **plus** your net earnings from self-employment more than $72,600?

Yes →

No ↓

No ↓

Are you using one of the optional methods to figure your net earnings (see page SE-3)?

Yes →

← No

Did you receive tips subject to social security or Medicare tax that you **did not** report to your employer?

Yes →

No ↓

No ↓

Did you receive church employee income reported on Form W-2 of $108.28 or more?

Yes →

No ↓

YOU MAY USE SHORT SCHEDULE SE BELOW

→ **YOU MUST USE LONG SCHEDULE SE ON THE BACK**

Section A—Short Schedule SE. Caution: *Read above to see if you can use Short Schedule SE.*

1	Net farm profit or (loss) from Schedule F, line 36, and farm partnerships, Schedule K-1 (Form 1065), line 15a	**1**
2	Net profit or (loss) from Schedule C, line 31; Schedule C-EZ, line 3; Schedule K-1 (Form 1065), line 15a (other than farming); and Schedule K-1 (Form 1065-B), box 9. Ministers and members of religious orders, see page SE-1 for amounts to report on this line. See page SE-2 for other income to report	**2**
3	Combine lines 1 and 2	**3**
4	**Net earnings from self-employment.** Multiply line 3 by 92.35% (.9235). If less than $400, **do not** file this schedule; you do not owe self-employment tax . . . . ▶	**4**
5	**Self-employment tax.** If the amount on line 4 is: ● $72,600 or less, multiply line 4 by 15.3% (.153). Enter the result here and on **Form 1040, line 50.** ● More than $72,600, multiply line 4 by 2.9% (.029). Then, add $9,002.40 to the result. Enter the total here and on **Form 1040, line 50.**	**5**
6	**Deduction for one-half of self-employment tax.** Multiply line 5 by 50% (.5). Enter the result here and on **Form 1040, line 27** **6**	

For Paperwork Reduction Act Notice, see Form 1040 instructions.

Cat. No. 11358Z

Schedule SE (Form 1040) 1999

Schedule SE-Self-Employment Tax (page1)

専門用語の対訳・索引

著者紹介

大島　襄（おおしま　じょう）

1939年生まれ。東京都出身。

米国公認会計士（CPA）。

青山学院大学卒業。米国New York University大学院卒業。MBA。
KPMG LLPニューヨーク事務所パートナーを経て、現在、同事務所特別顧問、大島会計事務所主宰。

銀行、商社、メーカーなど多くの大手日本企業のアメリカ支店、現地法人子会社の顧問会計士を長く務め、会計監査、税務コンサルティング、節税対策、税務調査の立会いなどで広く活躍。日本人のアメリカ国際税務専門家の草分け的存在。

著書は「Q&Aアメリカ税金百科」共著（有斐閣）、その他国際税務に関する専門論文を新聞、雑誌等に掲載。セミナー、講義録等多数。テレビ・シリーズ「一口アドバイス」に出演。

事務所　　　26 Glenbrooke Drive
　　　　　　White Plains, NY 10605, U.S.A.
　　　　　　Tel（914）428-5332 Fax（914）761-1377

アメリカ税金の基礎知識 2000年版

1998年1月15日初版発行
2000年1月5日改定2000年版

著 者　大島 襄

発行者　安藤秀幸

発行所　株式会社里文出版
　　　　〒160 東京都新宿区新宿3-32-10
　　　　TEL. 03-3352-7322
　　　　FAX. 03-3352-7324

振 替　00190-0-65033

印 刷　株式会社平河工業社

© Joe Oshima 1999　Printed in Japan

ISBN4-89806-019-6 C2034